Conni, Anna und das wilde Schulfest

© privat

Dagmar Hoßfeld lebt in einem Dorf zwischen Ostsee und Schlei. Sie hat ihren Traum vom Schreiben verwirklicht – zum Glück, denn sonst könnten wir nicht so viele gute Bücher von ihr lesen. Besonders gern schreibt sie für die erfolgreichen Serien »Conni & Co« und »Conni 15«.

»Schade, dass es Conni nicht schon früher gegeben hat. Es hätte mir Spaß gemacht, mit einer Lieblingsbuchfigur erwachsen zu werden.« (Dagmar Hoßfeld)

Dagmar Hoßfeld

Conni, Anna und das wilde Schulfest

Mehr Serien von Dagmar Hoßfeld im Carlsen Verlag:
Carlotta
Conni & Co
Conni 15
Laura
Reiterhof Erlengrund
Sattel, Trense, Reiterglück

Wenn du wissen willst, wann der nächste Conni-Band
erscheint, dann abonniere den kostenlosen Conni-Newsletter
mit allen Neuigkeiten für Conni-Fans!

Veröffentlicht im Carlsen Verlag
Juli 2016
Copyright © 2009, 2016 Carlsen Verlag GmbH, Hamburg
Umschlag- und Innenillustrationen: Dorothea Tust
Lettering: Dorothea Tust
Umschlaggestaltung: formlabor
Corporate Design Taschenbuch: bell étage
Druck und Bindung: CPI books GmbH, Leck
ISBN 978-3-551-31503-8
Printed in Germany

Mehr über Conni findest du unter: www.conni.de

»Ratet mal, was mein Lieblings-Patenonkel mir schenkt!« Anna macht ein geheimnisvolles Gesicht und wedelt mit den Einladungskarten für ihre Halloween-Party vor den Nasen der anderen hin und her.

»Ein Minipony vielleicht?«, fragt Conni grinsend.

»Ja, klar«, kichert Billi. »Das könnte sie sogar mit ins Bett nehmen, zusammen mit Nicki!«

»Haha, sehr witzig.« Anna überreicht Conni, Billi und Dina jeweils einen der Umschläge. »Einen Computer«, verrät sie. »Mit Internet-Anschluss!«

Connis Augenbrauen schießen in die Höhe. »Was!? Einen eigenen PC? Nur für dich allein?«

Anna nickt. »Cool, was? Mein Patenonkel hat eine kleine Computerwerkstatt. Er hat mir einen günstigen Gebrauchten besorgt und richtet mir am Wochenende alles ein. Dann kann ich endlich in Ruhe im Internet surfen und muss nicht wegen jeder Kleinigkeit in die Bücherei oder ins Internet-Café. Oder meine Mutter anbetteln.«

»Und den bekommst du einfach so geschenkt?«, staunt Billi. »Du hast doch gar nicht Geburtstag!«

»Na ja«, gibt Anna zu. »Ich musste mein Sparschwein plündern und krieg von ihm nichts mehr zu Weihnachten. Aber das ist es mir wert.«

Die Freundinnen sitzen auf einer Bank in ihrer Lieblingsecke des Schulhofs. Die Sonne ist hinter dicken grauen Wolken verschwunden. Ein frischer Wind fegt über den Hof und treibt ein Stück Papier vor sich her. Conni zieht fröstelnd die Schultern hoch. Brr, von wegen goldener Oktober, denkt sie. Man spürt, dass in ein paar Tagen der November anfängt.

»Du hast es gut«, sagt sie zu Anna. »Ich werde niemals einen eigenen Computer bekommen. In diesem Leben jedenfalls nicht«, fügt sie hinzu und angelt die bunte Karte aus dem Umschlag. »Meine Eltern sind total dagegen.«

»Meine auch«, sagt Dina, aber es klingt nicht so, als würde sie es besonders schlimm finden.

»Cool!«, ruft Billi, als sie die Einladung liest. »Halloween mit Übernachten!«

»Klar, sonst lohnt es sich doch gar nicht.« Anna springt von der Bank. »Halloween fällt auf einen Samstag. Besser geht's doch gar nicht, oder? Zuerst futtern wir selbstgebackenen Kürbiskuchen, und dann stürzen wir uns auf meinen Computer. Wir können die ganze Nacht chatten und surfen. Ich krieg nämlich eine Flatrate«, verrät sie. »Da ist alles inklusive, ganz ohne Zeitbeschränkung.«

»Das Leben ist ungerecht«, stöhnt Conni.

»Wollen wir uns auch verkleiden und um die Häuser ziehen?«, kommt Dina auf das Thema Halloween zurück.

»Ich finde, für ›Süßes, sonst Saures‹ sind wir langsam zu alt, oder?«, meint Billi.

Anna stimmt ihr zu. »Wir machen es uns lieber gemütlich«,

sagt sie. »Zur Feier des Tages können wir uns ja eine DVD angucken. Ich hab zwei ausgeliehen.«

Conni nickt zustimmend und stopft die Einladungskarte in ihre Jeansjacke. »Wer kommt denn noch zu deiner Party?«, fragt sie beiläufig.

Anna grinst. »Wir bleiben unter uns. Oder dachtest du etwa, ich lade Jungs ein?«

»Warum nicht?« Conni hebt ein Ahornblatt auf und zupft daran herum. »Paul kommt auch immer zu meinem Geburtstag. Und nächstes Jahr lade ich vielleicht sogar Phillip ein.«

»Echt?« Anna macht ein ungläubiges Gesicht.

»Klar«, nickt Conni.

»Na ja«, meint Anna. »Zu meinem nächsten Geburtstag lade ich vielleicht auch Jungs ein, aber zu Halloween lieber nicht. Die spielen doch bestimmt die halbe Nacht Streiche und stellen allen möglichen Unfug an.«

Die Pausenglocke gongt. Die Mädchen schlendern zurück ins Schulgebäude. Neben Conni taucht ein blonder Haarschopf auf.

»Hi, Conni!«

»Hallo, Phillip.« Conni lächelt dem Jungen zu, der, beide Hände tief in den Taschen seiner ausgeblichenen Jeans vergraben, neben ihr hertrabt.

»Ich komme gerade aus der SV-Versammlung. Hast du schon gehört?« Phillip pustet sich eine Haarsträhne aus der Stirn. »Im November steigt eine große Unterstufenfete.«

Conni runzelt die Stirn und schlüpft vor ihm ins Klassenzimmer. »Eine Fete? Hier, in der Schule?« Sie guckt sich um, mustert die verschlissenen Vorhänge vor den Fenstern und den abgeplatzten Putz an der Decke. Wie eine tolle Party-Location sieht das nicht gerade aus. Aber Phillip nickt unbeirrt.

»Ja, für die ganze Unterstufe. Von der Fünften bis zur Siebten. Cool, was?«

Anna spitzt aufmerksam die Ohren. »Das ist eine Spitzenidee«, findet sie. »Wird auch Zeit, dass mal ein bisschen Pep in den alten Schuppen kommt!«

»Ein Fußballturnier wär mir lieber«, brummt Paul. »Sport kommt an unserer Schule eindeutig zu kurz.«

»Quatsch!« Anna rümpft die Nase. »Sport kannst du in deiner Freizeit machen, bis du umkippst. Aber so eine Fete ist doch mal was anderes.«

Billi und Dina stimmen ihr zu. Als Herr Albers den Raum betritt, setzen sie sich schnell auf ihre Plätze.

»Was sagst du dazu?«, raunt Conni Anna zu, bevor sie ihr Deutschheft hervorholt.

»Unglaublich«, flüstert Anna zurück. »Endlich mal eine Abwechslung in unserem tristen Schülerleben!«

»Conni, Anna!«, sagt Herr Albers. »Vielleicht ist es euch entgangen, aber der Unterricht hat angefangen.«

Conni wird rot und versenkt ihre Nase schnell im Heft. Anna wühlt angestrengt in ihrem Federmäppchen. Beide können ein Kichern nur mühsam unterdrücken.

Als Conni nach der sechsten Stunde endlich nach Hause kommt, steht das Mittagessen schon auf dem Tisch. Jakob trommelt mit seinem Löffel auf dem Tellerrand.

»Mann, dauert das lange«, murrt er, als Conni sich neben ihn setzt. »Ich bin gleich verhungert!«

Conni wirft ihm einen belustigten Blick zu. »So schnell verhungert man nicht, keine Angst. Du hast genug Speck auf den Rippen.«

»Fangt ruhig schon an.« Mama schiebt die große Eintopfschüssel in Jakobs Richtung.

»Anna bekommt jetzt von ihrem Onkel einen Computer geschenkt«, erzählt Conni, während sie zuguckt, wie ihr kleiner Bruder den Gemüseeintopf hochkonzentriert in seinen Teller befördert. »Einen eigenen Computer, ganz für sie allein«, fügt sie mit Betonung hinzu.

»Cool«, sagt Jakob. »Die hat's gut.«

»Ja, das finde ich auch.« Conni seufzt.

Mama runzelt die Stirn. »Das ist aber ein großzügiges Geschenk. Sie hat doch gar nicht Geburtstag, und Weihnachten ist auch noch lange hin.«

»Ihr Onkel bekommt ihn wohl günstiger, und außerdem opfert Anna ihr Taschengeld. In meiner Klasse haben bald alle einen eigenen PC.« Conni nimmt Jakob die Suppenkelle ab und rührt betrübt im Eintopf. »Nur ich nicht.«

»Du weißt, dass du jederzeit an meinen Computer darfst.« Mama lächelt. »Er ist zwar nicht mehr der Allerjüngste, aber zum Recherchieren und E-Mail-Schreiben reicht er voll und ganz.«

»Aber er steht im Wohnzimmer!« Conni rümpft die Nase. »Zum nächsten Geburtstag wünsch ich mir einen eigenen. Einen, der in meinem Zimmer steht und nur mir gehört.«

»Wenn Conni einen kriegt, will ich auch einen!«, kräht Jakob.

»Wünschen darf man sich alles«, sagt Mama trocken. »Ob man es bekommt, ist eine ganz andere Frage.«

Conni rollt mit den Augen. Warum müssen Eltern eigentlich immer so stur sein?

Wenig später sitzt sie an ihrem Schreibtisch und denkt darüber nach, wie toll es wäre, einen eigenen Computer zu haben. Dann brauchten sie und Anna nicht mehr stundenlang miteinander zu telefonieren, sondern könnten sich E-Mails schicken. Sogar abends oder nachts und am Wochenende!
Billi hat zwar auch noch keinen eigenen PC, aber bei der ist es wahrscheinlich auch nur noch eine Frage der Zeit, bis sie einen bekommt. Nur Mama und Papa müssen unbedingt so vorsintflutlich sein, denkt Conni. Typisch!
Sie schlägt ihr Biologiebuch auf. Im Unterricht haben sie einen Film über Maulwürfe angesehen, über den sie eine kurze Zusammenfassung schreiben sollen.
»Maulwürfe«, brummt Conni. »Ausgerechnet!«
Sie zeichnet einen kleinen Maulwurf auf ein Löschblatt, verpasst ihm eine Taucherbrille und Schwimmflossen und umrahmt alles mit lustigen blauen Wellen. Vom aufregenden Leben der Maulwürfe im Film hat sie so gut wie gar nichts mitbekommen, weil sie in Gedanken viel zu sehr mit der Unterstufenfete beschäftigt war.
Sie vertieft sich in das Buch und macht sich Notizen. Die Zusammenfassung ist schnell erledigt, aber als sie sich der Mathehausaufgabe widmet, verzieht sie schmerzhaft das Gesicht. Muss es in der Textaufgabe auch ausgerechnet um Computer gehen?
»Drei Schüler, das sind zwölf Prozent der Klasse, haben einen Computer zu Hause«, liest Conni halblaut murmelnd vor.

»Wie viele Schüler hat die Klasse? Na, spitze!« Seufzend beugt sie sich über ihr Heft.

Als alle Hausaufgaben erledigt sind und Conni weiß, dass die Klasse aus genau 25 Schülern besteht, von denen nur drei einen PC haben, springt sie auf und schnappt sich ihren Rucksack vom Haken.

»Ich fahr noch mal in die Stadt!«, ruft sie ins Wohnzimmer. »Ein kleines Mitbringsel für Annas Übernachtungsparty besorgen.«

Mama holt ihr Portmonee und reicht ihr einen 5-Euro-Schein. »Gute Idee. Was willst du ihr denn mitbringen?«

»Vielleicht irgendwas für ihren neuen PC.« Conni gibt ihr ein Küsschen und bedankt sich. »Mal sehen, ob ich was Witziges finde, das nicht so teuer ist.«

***

In dem kleinen Computerladen am Marktplatz drängeln sich ein paar Jungs um die Spielkonsolen. Conni kennt einige von ihnen vom Sehen. Auch drei aus ihrer Klasse sind da.

»Hey, Conni!«, ruft einer von ihnen und winkt ihr zu.

»Hallo, Mark!« Conni winkt zurück und schiebt sich an ihm vorbei in die Abteilung mit dem Computerzubehör.

Zuerst sieht sie nur Unmengen von Kabeln, Steckern und undefinierbaren Teilen, von denen sie nicht mal im Ansatz weiß, wozu sie überhaupt gut sind, aber dann entdeckt sie in einer Ecke einen Ständer mit witzigen Kleinigkeiten. Schnell entscheidet sie sich für ein hübsches Mousepad mit springenden Delfinen. Sie bezahlt an der Kasse, dann stapft sie aus dem Laden und atmet draußen erleichtert auf.

Computer sind ja ganz toll, denkt sie. Aber man kann's auch übertreiben. Wie halten es die Jungs nur aus, den halben Nachmittag vor einem blöden Monitor zu hocken und alberne Spiele zu spielen? Kopfschüttelnd zieht sie den Schal enger um ihren Hals und macht sich mit ihrem Rad auf den Weg nach Hause.

»Jede Klasse soll etwas Eigenes auf die Beine stellen«, sagt Phillip. Er steht neben Laura an der Tafel und schwenkt seinen Notizblock. »Wir sammeln Vorschläge und stimmen dann ab, okay?«

Die beiden Klassensprecher nutzen eine Freistunde am nächsten Morgen, um über die Planung des Schulfests zu diskutieren.

Conni knabbert an ihrem Füller und hört aufmerksam zu.

»Ein paar Sachen stehen schon fest«, sagt Laura. »Zwei Siebte wollen in der Aula eine Geisterbahn aufbauen, eine Fünfte will Waffeln und Muffins backen und verkaufen, und eine unserer Parallelklassen plant eine Minigolfbahn. Die Einnahmen kommen in unsere Klassenkassen. Wenn genug zusammenkommt, wollen wir einen Teil davon für einen guten Zweck spenden. Mit dem Rest können wir unsere Klassenräume verschönern, neue Farbe für die Wände kaufen oder so. Wir sollten uns also etwas Besonderes einfallen lassen.«

»Wie wär's mit einem Bistro?«, meldet Billi sich zu Wort. »Wir könnten Pizza backen und verkaufen.«

Laura schreibt »Bistro« an die Tafel.

»Ich bin dafür, dass wir eine Disko machen!«, ruft Janette.

13

»Könntest du das bitte aufschreiben, Phil?« Sie wirft ihre langen Haare über die Schulter und klimpert mit den Wimpern in Phillips Richtung.

Conni kann ein Aufstöhnen nur mühsam unterdrücken.

Phillip grinst und nickt Laura zu: »Schreib's auf.«

Paul hebt die Hand. »Ich bin für Torwandschießen. Wir bauen eine Torwand auf und veranstalten ein Elfmeterschießen. Der Sieger bekommt einen Pokal.«

»Hast du eigentlich noch was anderes im Kopf außer Fußball?«, erkundigt sich Anna freundlich.

»Ja, hab ich«, erwidert Paul grinsend. »Stell dir vor!«

»Noch irgendwelche Vorschläge?«, fragt Phillip.

»Vielleicht ein Internet-Café?«, schlägt Anna vor. »Wir könnten Computer aufstellen und vernetzen.«

Ein paar Jungs stimmen begeistert zu.

»Coole Idee«, sagt Mark. »Ich bin dafür.«

Conni macht ein nachdenkliches Gesicht. »Ich weiß nicht«, meint sie. »Wäre das nicht ein bisschen zu aufwändig? Ein paar von uns müssten ihre eigenen PCs und Monitore zur Verfügung stellen. Allein der Transport, der Aufbau und das Vernetzen wäre schon ziemlich stressig, oder? Außerdem«, sie wirft einen abschätzigen Blick auf die altertümliche Steckdose neben der Tür, »bezweifle ich, dass das Stromnetz der Schule das aushält.«

»Damit könntest du allerdings Recht haben«, stimmt Phillip ihr zu.

Conni lächelt, als ihre Blicke sich treffen.

»Ich schreib's trotzdem mit auf«, beschließt Laura und macht einen Eintrag an der Tafel.

Als alle Vorschläge an der Tafel stehen und keine neuen dazukommen, wird per Handzeichen abgestimmt. Phillip zählt durch.

»Die Disko gewinnt mit zwei Stimmen Vorsprung vor dem Internet-Café«, verkündet er. »Also, abgemacht. Wir veranstalten eine Disko. Wir müssen nur noch überlegen, was wir an Dekoration brauchen. Die Musikanlage kann ich von zu Hause mitbringen, CDs auch. Vielleicht sollten wir auch Getränke ausschenken? Cola, Limo, alkoholfreie Cocktails?«

Der Rest der Stunde wird organisatorischen Dingen und der Aufgabenverteilung geopfert. Als es zur Pause klingelt, hat Conni das Gefühl, ihr Gehirn würde kleine Rauchwölkchen produzieren. Die Diskussion hat Spaß gemacht, war aber auch ganz schön anstrengend.

Sie steckt den Trinkhalm in ihre Kakaotüte und nimmt einen langen Schluck. Dann schnappt sie sich eine Banane.

»Kommt ihr mit raus?«, fragt sie Anna, Billi und Dina. »Ich brauch dringend frische Luft.«

»Regenpause.« Anna zeigt auf die Fensterwand. Dicke Regentropfen pladdern herunter. Der Himmel ist aschgrau, die großen Bäume rund um den Schulhof biegen sich im Wind.

»Na und?« Conni zuckt mit den Schultern. »Wir können doch trotzdem mal die Nase raushalten.«

»Nee, danke. Ohne mich«, winkt Billi ab.

»Ich bleib auch drin«, sagt Dina.

Conni jongliert mit ihrer Banane und lacht. »Ihr stellt euch an, als wärt ihr aus Zucker! Bis gleich!«

Auf dem Weg nach draußen trifft sie Lia, ein fröhliches rothaariges Mädchen aus der Parallelklasse. Conni hat mit ihr ein paar aufregende Tage im Zeltlager verbracht.

Lia stupst sie in die Seite. »Na, habt ihr schon einen Plan für die große Fete?«, fragt sie.

Conni befreit ihre Banane von der Schale, beißt ein großes Stück ab und nickt kauend. »Mhm«, mümmelt sie mit vollem Mund. »Wir machen eine Dischko.«

Lia bleibt stehen. »So ein Zufall«, sagt sie und hebt eine Augenbraue. »Wir auch!«

»Wasch!?« Conni verschluckt sich fast. Lia klopft ihr mit der flachen Hand auf die Schulter.

Die beiden starren sich sprachlos an, dann sagen sie gleichzeitig »Mist!«, was bei Conni allerdings eher wie »Mischt!« klingt. Schnell würgt sie den Bananenbrei hinunter und schüttelt den Kopf. »Das gibt's doch gar nicht! Wir können doch nicht zwei Diskos nebeneinander machen!«

»Nee«, meint Lia. »Das geht echt nicht. Dann würden wir uns die Gäste gegenseitig vor der Nase wegschnappen.«

»Gut, dass du's mir gesagt hast.« Conni wirft die Bananenschale in einen Abfalleimer. »Noch haben wir genug Zeit, um uns eine Alternative auszudenken.«

»Viel Spaß dabei!« Lia winkt und verschwindet in Richtung Physiklabor.

»So was Blödes!«, stöhnt Conni auf. Zum Rausgehen hat sie keine Lust mehr. Außerdem ist der Dauerregen inzwischen in Hagel übergegangen. Auf kürzestem Weg läuft sie ins Klassenzimmer zurück und geht schnurstracks zu Phillip.

»Wir können keine Disko machen!«, sagt sie.

Phillip hebt den Blick von der Fußballzeitschrift, in der er zusammen mit Paul geblättert hat. »Wieso nicht?«

»Weil es schon eine gibt«, erwidert Conni. »Und zwar genau nebenan, in unserer Parallelklasse.«

»Was!?«, fragt Phillip. »Bist du sicher?«

»Ja«, nickt Conni. »Leider.«

»Dann haben wir ein echtes Problem.« Phillip fährt sich mit allen Fingern durch die Haare und lehnt sich auf seinem Stuhl zurück.

»Das kann man wohl sagen«, brummt Paul.

»Und was machen wir jetzt?« Anna hat zugehört und stellt sich neben Conni.

»Neue Vorschläge sammeln«, seufzt Phillip. »Und neu abstimmen.«

»Was anderes bleibt uns wohl nicht übrig«, meint Paul.

»Es sei denn, wir machen doch das Internet-Café!« Mark ist aufgestanden. Er nickt Anna zu. »Ich fand deinen Vorschlag echt toll. Ich bin immer noch dafür.«

Anna wird ein bisschen rot und schüttelt den Kopf. »Ach, so gut war die Idee gar nicht. Conni hat bestimmt Recht: Es wäre viel zu aufwändig. Und dann nur eine Steckdose für mehrere PCs, und nicht mal Internet-Zugang! Nee, ich glaub, das können wir vergessen.«

Conni kaut auf der Unterlippe und überlegt fieberhaft. Es muss doch eine Lösung geben! Irgendeine Alternative, die genauso viel Spaß macht wie eine Disko und die alles andere toppt.

»Ich hab's!«, ruft sie plötzlich.

»Lass hören«, sagt Phillip.

»Ich schlage vor, wir machen eine …«, Conni legt eine wirkungsvolle Pause ein. Die gespannten Gesichter und das erwartungsvolle Schweigen der anderen sind einfach zu schön. »Eine Karaoke-Disko!«, ruft sie schließlich. »Na? Was sagt ihr dazu?«

Niemand sagt etwas, alle starren sie an.

»Eine was, bitte schön?«, fragt Paul.

»Eine Karaoke-Disko«, wiederholt Conni unsicher. War ihre Idee vielleicht doch nicht so gut? »Ihr wisst schon: Man singt zum Playback, der Text läuft auf einem Bildschirm.«

»Ja, das ist cool«, findet Anna. »Ich bin dafür!« Sie hebt eine Hand.

»Ich auch!«, ruft Billi. Dina nickt.

»Hm.« Phillip verschränkt die Hände vor dem Bauch und kippelt auf seinem Stuhl. »Die Idee ist nicht übel.« Er wendet sich an die Jungs. »Was meint ihr?«

»Das ist doch Kinderkram, oder?«, meint Paul.

»Ich soll mich mit einem Mikro in der Hand zum Affen machen?« Mark schüttelt den Kopf. »Nö, ich weiß nicht.«

»Wir stimmen ab!«, beschließt Phillip. »In der nächsten großen Pause.«

Als Frau Lindmann ihre schwere Aktentasche auf das Lehrerpult hievt und gut gelaunt »Good morning, girls and boys!« in die Klasse ruft, schlüpfen sie schnell auf ihre Plätze.

Conni reibt sich die Hände. Sie ist von ihrer eigenen Idee total begeistert.

In der nächsten großen Pause stellt Phillip den Alternativplan vor und lässt die Klasse abstimmen. Die Hände der Mädchen schießen sofort in die Höhe. Sogar Janette und ihr Zickenclan zeigen sich begeistert.

»Ich hab schon mal Karaoke gesungen«, schwärmt Janette und fuchtelt vor Aufregung mit ihren lila lackierten Fingernägeln. »In einer Hotel-Disko auf Ibiza!«

Das interessiert Conni zwar herzlich wenig, aber sie freut sich über jede zusätzliche Stimme für ihren Vorschlag. Und weil die Klasse mehr Mädchen als Jungen hat, müssen die Jungs sich schon bald geschlagen geben.

Phillip lächelt ihr zu, als er das Ergebnis verkündet: »Connis Vorschlag wurde mit deutlicher Mehrheit angenommen. Wir machen eine Karaoke-Disko!«

»Aber woher wollen wir den ganzen Kram kriegen?«, meldet Paul sich zu Wort. »Eine professionelle Karaoke-Anlage ist ziemlich teuer.«

Verflixt!, denkt Conni. Daran hat sie natürlich nicht gedacht! »Vielleicht kann man eine mieten?«, fragt sie unsicher.

»Kann man«, erwidert Phillip grinsend. »Müssen wir aber nicht. Wir haben so eine Anlage zu Hause, komplett mit Beamer und allem Drum und Dran. Wir brauchen nur noch eine große Leinwand.«

»Die haben wir schon!«, sagt Conni freudestrahlend. Sie zeigt auf die zusammengerollte Dia-Leinwand über der Tafel.

»Perfekt!«, meint Phillip und hebt den Daumen. »Zusätzlich richten wir eine kleine Bar ein. Dann können die Leute was trinken, während sie beim Karaoke zugucken.«

»Wir könnten auch eine Art Wettsingen veranstalten«, schlägt Billi vor. »Die Zuschauer stimmen über den besten Auftritt ab.«

»Dann brauchen wir aber auch Preise, oder nicht?«, gibt Anna zu bedenken.

»Ja, logo«, stimmt Mark ihr zu. »Vielleicht sollten wir einen kleinen Pokal stiften oder so etwas in der Art.«

»Uns fällt bestimmt noch was ein.« Phillip klappt seinen Notizblock zu. »Wir haben ja noch genügend Zeit. Bis dahin sammeln Laura und ich eure Vorschläge, einverstanden?«

»Okay«, meint Mark.

»Klar«, sagt Anna.

Die anderen nicken.

»Wir brauchen auch noch einen Plan, wer für was zuständig ist«, erinnert Laura. »Wir müssen die Bar aufbauen, Getränke besorgen, die Klasse dekorieren. Dann brauchen wir Freiwillige, die die Karaoke-Anlage bedienen, und andere, die sich an die Bar stellen und Getränke verkaufen.« Sie legt die Stirn in Falten. »Ich glaube, wir haben noch viel Arbeit vor uns.«

»Ach, das schaffen wir schon«, sagt Phillip locker. Er schwingt sich über den Tisch und setzt sich auf seinen Platz. »Nur keine Panik.«

Conni wirft ihm einen Blick zu und lacht. »Na, dann üb schon mal singen!«

***

Als Conni am Nachmittag an ihrem Schreibtisch sitzt, holt sie ihren Collegeblock heraus und stellt eine Liste auf. Das Partyfieber hat sie gepackt, und Listenschreiben macht Spaß. In ihrem Kopf schwirren tausend tolle Ideen für eine gelungene Fete herum.

»Schulfest«, schreibt sie in Großbuchstaben über die Liste.

SCHULFEST

Was wir brauchen und wer was besorgt:

- *Karaoke-Anlage* = Phillip
- *Musik-CDs* = Phillip + alle
- *Leinwand für Karaoke* = Schule
- *Bar aufbauen* = die Jungs
- *Getränke besorgen* = die Jungs
- *Dekoration, Poster, Luftschlangen usw.* = die Mädchen
- *Knabbersachen besorgen* = die Mädchen
- *Preis (Pokal) fürs Wettsingen* = ?

Sie knabbert an ihrem Kuli und überlegt. Vielleicht sollten sie Eintrittskarten verkaufen? Wenn Anna erst ihren eigenen Computer hat, können sie die selbst entwerfen und ausdrucken! Sie könnten auch kleine Werbezettel drucken und in der Schule verteilen. Und Plakate, die sie überall aufhängen könnten, um Reklame für ihre Karaoke-Bar zu machen.

Mit Begeisterung komplettiert sie die Liste:

- *Eintrittskarten, Zettel, Plakate* = Anna, Billi, Dina und Conni

»Perfekt!«, sagt Conni zu Kater Mau, der mit einem eleganten Satz auf den Schreibtisch gesprungen ist, um sich kraulen zu lassen. »Die Fete kann steigen!«

Am Halloween-Morgen wird Conni von einem lauten Rumpeln geweckt. Erschrocken fährt sie hoch und schubst dabei Mau vom Bett, der maunzend gegen die unsanfte Behandlung protestiert.

»'tschuldigung, war keine Absicht«, nuschelt Conni. Sie gähnt und streckt die Hand nach dem Wecker aus. Erst halb acht! Und das am Samstag!

Mau schlüpft durch die angelehnte Zimmertür in den Flur und spitzt die Ohren. Erneutes Rumpeln, gefolgt von einem lauten Knall und einem ebenso lauten Fluch, dringt aus dem Erdgeschoss nach oben.

Conni lässt sich ins Kissen zurücksinken.

»Das hab ich ja ganz vergessen!«, stöhnt sie. »Papa will die Küche streichen! Na, toll! Das heißt wohl, es gibt heute kein Frühstück.« Grummelnd wühlt sie sich aus dem Bett. »Oder höchstens eins mit Farbverzierung und Lackaroma.« Sie gähnt noch einmal und tappt ans Fenster. Auf der Terrasse stapeln sich die Küchenmöbel, notdürftig mit einer Plastikfolie gegen den Regen abgedeckt, der fast waagerecht vom Wind ums Haus getrieben wird.

»Was für ein Mistwetter!« Conni zieht den Vorhang schnell

wieder zu. Dann schlüpft sie in ihre Tigerpuschen und trabt nach unten.

»Herrje!«, schallt es ihr auf dem unteren Treppenabsatz entgegen. »Wer hat diese Gardinenleiste eigentlich angebracht?«

»Du, Jürgen«, hört Conni Mama zu Papa sagen. »Und zwar höchstpersönlich.«

Conni kichert leise. Ihr Vater ist ein begnadeter Heimwerker. Wenn er irgendwelche Sachen festschraubt oder Dübel in Decken und Wände bohrt, macht er das so gründlich, dass die Dinger die nächsten hundert Jahre halten. Mindestens. »Bombenfest«, sagt er dann jedes Mal. »Die überstehen sogar ein Erdbeben!«

Anscheinend hat er die Gardinenleiste in der Küche dermaßen bombenfest und erdbebensicher angebracht, dass er sie jetzt selbst nicht wieder losbekommt.

»Krck!«, macht es in der Küche.

»Pass doch auf!«, zischt Mama.

Vorsichtig lugt Conni um die Ecke. Ihr Vater steht auf einer schwankenden Leiter und kämpft mit einem langen Brett, das nur noch von einer einzigen Schraube an der Wand festgehalten wird, während ihre Mutter ihn und die Leiter mit beiden Händen festhält und gleichzeitig den Kopf schüttelt.

Conni kann nicht anders, sie prustet laut los.

Ihr Vater fährt erschrocken herum – so gut das auf einer Leiter und in Mamas Klammergriff eben geht – und hat mit einem Ruck das widerspenstige Gardinenbrett in der Hand.

»Holla!«, sagt er verdutzt und macht ein so komisches Gesicht, dass Conni noch lauter lachen muss.

»Guten Morgen«, kichert sie. »Macht's Spaß?«

»Morgen«, brummt Papa. Er hält ihr das Brett entgegen. »Kannst du das bitte irgendwo hinlegen, wo ich es nicht mehr sehen muss?«

Conni nimmt ihm das Brett ab und schiebt es im Flur hinter die Garderobe. Grinsend geht sie zurück in die Küche.

»Haben wir dich geweckt?«, fragt Mama. »Das tut mir leid.«

»Macht nichts.« Conni wirft einen Blick auf das Chaos. »Hauptsache, ich finde irgendwo etwas Essbares zum Frühstück. Braucht ihr meine Hilfe?«

»Nein, danke. Frühstücke du mal in Ruhe. Ich hab alles im Wohnzimmer aufgebaut. Papa hat Brötchen aufgebacken, bevor er den Herd abgeklemmt hat. Kakao ist in der großen Kanne.« Mama wischt sich eine Haarsträhne aus der Stirn. »Ein Wunder, dass Jakob noch schläft. Bei dem Lärm!« Sie wirft Papa einen Seitenblick zu, aber der hat sich schon der nächsten Herausforderung gewidmet und schraubt hochkonzentriert das Tellerregal von der Wand.

Conni lacht. »Jakob würde es wahrscheinlich nicht mal merken, wenn das Haus über ihm zusammenkracht.«

Sie verschwindet im Wohnzimmer, um es sich mit einem Nutella-Brötchen und einem Becher Kakao so richtig gemütlich zu machen.

Gleich nach dem Frühstück sucht sie zusammen, was sie für die Nacht bei Anna braucht: Isomatte, Schlafsack und einen Rucksack mit Schlafanzug und Waschzeug. Als alles neben der Haustür liegt, beschließt sie, den Rest des Vormittags in größtmöglichem Sicherheitsabstand zur Küche zu verbringen. Mit Kater Mau im Arm baut sie sich auf ihrem Bett eine kuschelige Leseinsel und verschlingt ein spannendes Pferdebuch.

Erst zum provisorischen Mittagessen, das aus Kartoffelsalat und kalten Würstchen besteht, traut sie sich wieder nach unten. Jakob sitzt auf dem Küchenfußboden, rührt in einem Farbeimer und malt grinsende Kürbisköpfe auf einen Tapetenrest. Papa steht auf der Leiter und streicht die Decke. Die Küche – zumindest der fertige Teil davon – erstrahlt in fröhlichem Zitronengelb.

»Coole Farbe«, sagt Conni und beißt in ihr Würstchen.

Papa wirft ihr einen dankbaren Blick zu. Seine Haare und das Gesicht sind mit unzähligen Farbsprengseln übersät. Es sieht aus, als hätte er quietschgelbe Sommersprossen.

Steht ihm gut, stellt Conni grinsend fest.

Als kurz darauf ein weißer Van vor dem Haus hält und hupt, schnappt sie ihr Gepäck und gibt Mama einen Kuss. »Tschüs! Bis morgen!«

»Tschüs, Conni«, erwidert Mama. »Viel Spaß, und grüß Anna und ihre Eltern von uns!«

Papa winkt mit der Malerrolle.

Conni sprintet aus dem Haus. Herr Verdi, Billis Vater, hat sich bereit erklärt, die Mädchen zu Anna zu fahren. Billi und Dina sitzen auf der Rückbank und grinsen Conni entgegen.

»Gut, dass Sie da sind«, sagt Conni zu Billis Vater, als sie ihren Rucksack und die dicke Schlafsackrolle in den Kofferraum geworfen hat und sich aufatmend auf den Beifahrersitz fallen lässt. »Ich hätte es keine Minute länger ausgehalten!«

Sie wendet sich um und erzählt Billi und Dina von ihrem aufregenden Vormittag zwischen Küchenmöbeln, Gardinenbrettern und Farbeimern. »Hoffentlich fällt mein Vater nicht noch von der Leiter!«

Herr Verdi lacht. »Wenn dein Papa Hilfe braucht, muss er mich nur anrufen! Ich helfe gern, naturalmente.«

»Danke. Das ist echt nett von Ihnen, aber ich fürchte, das lässt sein Heimwerkerstolz nicht zu.« Conni niest.

»Gesundheit!«, sagt Billi. »Bringst du Anna auch was mit?«

»Klar, ein Mousepad«, antwortet Conni. »Mit Delfinen! Und ihr?«

»Eine Tüte Fledermäuse aus Weingummi«, sagt Dina. »Und ein selbstgezeichnetes Halloween-Manga.«

Billi hält ein Geschenkpäckchen hoch. »Eine Hülle für CDs und Disketten in Neonpink.«

»Da wird Anna sich bestimmt freuen«, meint Conni.

Herr Verdi setzt den Blinker und biegt in die ruhige Seitenstraße ein, in der Anna wohnt. Vor einem kleinen Einfamilienhaus hält er an. Nicki, Annas Hund, läuft aufgeregt bellend hinter dem Gartenzaun hin und her. Vor dem Hauseingang liegt ein großer, ausgehöhlter Kürbiskopf, in dem eine Kerze flackert. Eine Girlande mit kleinen Kürbiskopflichtern rankt sich um die Haustür, die plötzlich aufgerissen wird. Annas Haarschopf taucht auf.

»Da seid ihr ja endlich!«, ruft sie und stürmt den Freundinnen entgegen.

»Happy Halloween!«, ruft Billi ausgelassen.

Conni umarmt Anna und gibt ihr ein Küsschen auf die Wange. »Danke für die Einladung!«

Dina überreicht Anna ihr Mitbringsel.

Auch Herr Verdi begrüßt Anna, bevor er das Gepäck auslädt und sich verabschiedet. »Viel Spaß, ragazzi. Ich hole euch morgen Vormittag wieder ab!«

»Ciao, Papa!«, ruft Billi ihm hinterher.

Dann gehen sie endlich rein. Anna ist so hibbelig, dass sie beinahe über Nicki stolpert, der erschrocken aufjault.

»Mein Onkel hat mir heute Morgen den PC gebracht und aufgebaut. Der ist so was von genial«, sagt sie, »das glaubt ihr nicht! Flachbildschirm, Lautsprecher ... alles dabei! Mein Onkel hat schon alles installiert. Wir können sofort loslegen!«

Conni hält sie fest. »Willst du nicht zuerst gucken, was wir dir mitgebracht haben?«

»Aber natürlich will sie das!« Annas Mutter kommt aus der Küche und begrüßt die Mädchen. »Und danach gibt es Limo und Kürbiskuchen.« Sie seufzt. »Ich hab Anna heute kaum zu Gesicht bekommen. Den ganzen Tag hat sie vor ihrem Computer gehockt.«

»Dafür ist er doch schließlich da«, grinst Anna. Sie lässt sich aufs Sofa fallen und packt die kleinen Geschenke aus. »Wie süß!«, ruft sie, als sie Connis Mousepad in den Händen hält.

Dann widmet sie sich Billis und Dinas Mitbringseln und ist begeistert. »Super, genau das Richtige! Vielen, vielen Dank!« Nachdem sie den Kürbiskuchen verputzt haben, laufen die vier hinauf in Annas Zimmer.

»Tada!«, macht Anna und gibt den Blick auf ihren Schreibtisch frei.

»Wow!« Ehrfürchtig bestaunen Conni, Billi und Dina den flachen, topmodernen Bildschirm, auf dem bunte Tropenfische als Bildschirmschoner ihre Kreise ziehen, und den kleinen Drucker daneben. Der lackschwarze PC steht in einem Extrafach unter der Schreibtischplatte und brummt leise vor sich hin.

Anna holt ein paar Stühle und setzt sich an die Tastatur.

»Na, was wollen wir zuerst machen?«, fragt sie und zwinkert den anderen zu.

»Egal«, sagt Billi. »Irgendwas.«

»Wir könnten Mandy, Alisha, Louise und Kate eine Mail schreiben«, schlägt Conni vor.

»Au ja«, sagt Dina. »Und Sarah! Ihre Mail-Adresse hab ich im Kopf.«

Anna klickt ihr Postfach an. »Gute Idee!«

Kurz darauf sind fünf Mails an die ehemaligen Austauschschülerinnen unterwegs. Anschließend wechselt Anna auf eine Pferdeseite.

»Ist das cool«, staunt Dina.

Conni nickt. Sie freut sich für Anna, klar, aber gleichzeitig ist sie auch ein bisschen neidisch. Warum müssen Mama und Papa nur so stur sein? Sie nimmt sich vor, nicht lockerzulassen und sich so lange einen eigenen Computer zu wünschen, bis sie einen hat.

Irgendwann muss es klappen!, denkt sie. Mit dem Handy hat es schließlich auch ein Weilchen gedauert.

***

Den ganzen Nachmittag verbringen die Mädchen im Internet, spielen Spiele und gucken sich Musikclips an. Conni wundert sich, dass Annas Mutter nichts dagegen hat. Sie selbst darf nie länger als eine Stunde am PC sitzen, und schon gar nicht alle Seiten besuchen, die ihr in den Sinn kommen. Mama passt höllisch auf, dass sie sich an die vereinbarten Regeln hält.

Leider, denkt Conni und seufzt.

Als es an der Tür klopft, tauchen die Mädchen auf wie aus einer anderen Welt.

»Die Pizza ist gleich fertig.« Annas Mutter steckt ihren Kopf ins Zimmer. »Eine kleine Pause tut euch und dem PC bestimmt gut. Kommt ihr runter?«

Gleich nach dem Essen verschwinden sie wieder in Annas Zimmer. Anna hat sich ein paar Chipstüten unter den Arm geklemmt, Billi und Dina tragen Limoflaschen und Gläser und Conni einen Rieseneimer mit Fruchtgummitieren.

»Jetzt machen wir's uns so richtig gemütlich!«, beschließt Anna. »Auf meinem PC kann man nämlich auch Filme angucken!« Sie hält zwei DVDs hoch. »Romantisch oder lustig?«

»›Plötzlich Prinzessin‹ ist beides«, meint Dina und zeigt auf eine der DVDs. »Ich hab den Film im Kino gesehen. Der ist total süß!«

Conni, Billi und Anna sind einverstanden. Dann rollen sie ihre Schlafsäcke auf dem Fußboden aus, verteilen ein paar Kuschelkissen und legen sich bäuchlings drauf.

Nicki kommt ins Zimmer und beschnuppert alles aufgeregt, bevor er sich behaglich seufzend zwischen die Mädchen legt.

»Hach, ich liebe Übernachtungspartys«, seufzt Billi, während sie sich mit der einen Hand abwechselnd Chips und Gummibärchen in den Mund schiebt und mit der anderen Nicki krault.

»Ich auch«, sagt Conni. Sie nimmt einen Schluck Limo und rülpst leise.

»Freut ihr euch eigentlich auf die Unterstufenfete?«, fragt Dina.

»Klar«, meint Billi. »Ist doch mal was anderes.«

Conni und Anna nicken.

Dina zögert, dann sagt sie: »Ja, stimmt. Aber wir machen eine Disko, und wenn man in eine Disko geht, muss man mit Jungs tanzen, oder?« Sie grinst verlegen. »Habt ihr schon mal mit einem Jungen getanzt?«

»Ähm«, macht Anna.

Billi zieht die Stirn kraus und legt einen Finger auf ihre Nasenspitze. »Nö«, sagt sie.

»Also, ich glaub nicht, dass man das muss«, meint Conni nachdenklich. »Dazu kann einen doch schließlich keiner zwingen, oder?«

Die Mädchen gucken sich ratlos an.

»Und wenn doch?«, fragt Dina. »Wenn ein Junge auf dich zukommt und dich fragt, ob du mit ihm tanzen willst?«

»Dann kann man immer noch Nein sagen«, sagt Billi überzeugt. »Hoffentlich«, fügt sie hinzu.

»Aber wäre das nicht ziemlich peinlich?«, meint Dina. »Das würde doch so aussehen, als ob man sich nicht traut.«

»Wenn ich an die Jungs aus unserer Klasse denke, leg ich eigentlich gar keinen Wert darauf, mich zu trauen«, kichert Anna. »Oder könnt ihr euch vorstellen, mit Tim oder Paul zu tanzen?«

Conni grinst. »Irgendwie nicht. Ich glaub, ich würde mir ziemlich albern vorkommen.«

»In einer Disko muss man nicht mit Jungs tanzen«, sagt Billi. »Da tanzt jeder für sich.«

»Echt?« Dina macht ein zweifelndes Gesicht. »Auch zu langsamer Musik?«

»Manchmal schon«, brummt Billi. »Kommt ganz darauf an.«

»Worauf?«, fragt Conni.

»Keine Ahnung.« Billi grinst. »Ich war noch nie in einer Disko. Jedenfalls nicht in einer richtigen.«

»Ich auch nicht«, gibt Anna zu. »Nur in unserer Abschiedsdisko, die wir für die Austauschschüler gemacht haben, und da haben wir uns ja nur unterhalten und nicht getanzt. Aber zum Glück machen wir eine Karaoke-Disko. Da kommt es doch mehr aufs Singen und nicht so doll aufs Tanzen an, oder?«

»Stimmt«, sagt Dina und gähnt. »Glaubt ihr eigentlich, dass die Jungs sich auch solche Gedanken machen?«

»Nee, bestimmt nicht«, sagt Billi sofort.

»Vielleicht doch«, meint Conni. »Wer weiß?«

Anna legt die DVD ein und schiebt die Klappe zu. »Ich kann mir echt nicht vorstellen«, sagt sie, »dass die Jungs aus unserer Klasse sich viele Gedanken über etwas anderes als Fußball und die Bundesligatabelle machen. Die sind doch so was von unreif!« Sie lässt sich auf einen Kissenstapel fallen. »Das ist sogar wissenschaftlich erwiesen!«

Conni runzelt die Stirn. »Was?«

»Dass Jungs Spätentwickler sind«, erwidert Anna. »Die hinken uns Mädchen entwicklungstechnisch locker zwei Jahre hinterher.« Sie drückt auf den Startknopf und macht es sich bequem. »Deshalb bin ich dafür, dass wir ein paar ältere Jungs einladen. Aus der Achten oder Neunten.«

»Spinnst du?« Dina fährt hoch.

»Nein«, meint Anna. »Aber ich hab keine Lust, einen Disko-Abend mit kleinen Jungs zu verbringen, die nur in der Ecke stehen und sich über Fußball unterhalten.«

»Phillip redet nicht nur über Fußball«, protestiert Conni. »Der hat auch andere Interessen.«

Über den Rand ihrer Brille hinweg wirft Anna ihr einen Blick zu. »Der ist auch ein Jahr älter als der Rest. Womit meine Theorie bewiesen wäre.« Sie räkelt sich in ihre Kissen und greift in die Chipstüte. »Und jetzt Themenwechsel. Der Film fängt an!«

Nach dem Film erzählen sie sich Gruselgeschichten und Witze. Sie kichern und quatschen die halbe Nacht, bis es Annas Mutter schließlich zu bunt wird und sie an die Tür klopft.

»Ich weiß, dass heute Halloween ist, aber geht's ein bisschen leiser?«, brummt sie mitten in das ausgelassene Gekicher hinein. »Ich würde ganz gern schlafen.«

Dina zieht schnell den Kopf in den Schlafsack und tut so, als würde sie tief und fest schlafen. Conni und Billi gucken sich an und können sich nur mühsam beherrschen.

Nur Anna bleibt todernst. Sie setzt sich in ihrem Schlafsack auf und sagt mit zuckersüßer Stimme: »Klar. Gute Nacht, Mama. Schlaf schön.«

Als die Tür wieder zu ist, bricht sie prustend zusammen. Conni hält ihr schnell ein Kissen vor den Mund.

»Oh, Mann«, stöhnt Billi. Sie hält sich den Bauch. »Ich glaub, mir ist schlecht. Ich weiß nur nicht, wovon: vom Lachen oder von den ganzen Sachen, die ich durcheinandergegessen hab.«

Dinas Kopf taucht aus den Tiefen ihres Schlafsacks auf. »Geh aber rechtzeitig aufs Klo, wenn du spucken musst«, sagt sie. »Oder soll ich dir einen Eimer holen?«

»Nicht nötig«, seufzt Billi. »Es geht schon.«

Bald ist es still im Zimmer. Dina und Billi schlafen. Nur Conni und Anna tuscheln noch leise miteinander.

»Würdest du echt einen älteren Jungen zu unserer Fete einladen?«, flüstert Conni Anna zu.

»Ich weiß nicht«, flüstert die zurück. »Wenn ich mich trauen würde, vielleicht. Aber ich trau mich bestimmt nicht.« Sie macht eine Pause und schüttelt ihr Kopfkissen zurecht. »Ich wüsste auch gar nicht, wen.«

»Ich auch nicht«, flüstert Conni. »Aber die Jungs in unserer Klasse sind doch eigentlich auch ganz nett.«

»Ein paar schon«, murmelt Anna. »Aber die meisten kannst du voll vergessen.« Sie rollt sich auf die Seite. »Wir werden's ja sehen. Gute Nacht.«

Conni mummelt sich tiefer in ihren Schlafsack. Es ist urgemütlich. »Gute Nacht«, flüstert sie zurück.

»Hicks«, macht Anna. Sie sitzt auf der Fensterbank im Klassenzimmer, das Vokabelheft auf den Knien, und versucht vergeblich, ihren Schluckauf zu unterdrücken und gleichzeitig englische Vokabeln zu lernen. »Hicks.«

»Wenn du Schluckauf hast, denkt gerade jemand an dich«, grinst Billi vielsagend.

»Und wer, hicks, sollte das sein, bitte schön? Hicks!«

Paul, Tim und Mark schieben sich vorbei.

»Hi, Anna«, sagt Mark.

»Hicks«, erwidert Anna.

Conni kichert. »Gut, dass wir eine Freistunde haben. Stell dir mal vor, du müsstest ein Referat halten oder eine Arbeit schreiben.«

»Das, hicks, stell ich mir lieber nicht vor.«

Dina zeichnet Mangas in ihr Skizzenbuch. »Du musst die Luft anhalten und langsam bis zehn zählen«, sagt sie, ohne aufzublicken. »Oder ganz fest daran denken, was du letzte Woche um diese Uhrzeit gegessen hast.«

»Danke, hicks, für die tollen Tipps.«

Als Phillip die Klasse betritt, geht Conni auf ihn zu und überreicht ihm ihre Liste.

»Hier«, sagt sie. »Ich hab ein paar Sachen für unsere Fete aufgeschrieben. Wer was macht und so.«

Phillip wirft einen Blick auf den Zettel.

»Cool, danke.« Er staunt. »Ihr wollt euch echt um die Eintrittskarten und die Werbezettel kümmern?«

»Klar«, sagt Conni. »Anna hat einen neuen PC. Wir treffen uns
heute Nachmittag bei ihr und machen ein paar erste Entwür-
fe.« Wenn du Lust hast, kannst du ja auch kommen, hätte sie
fast noch gesagt. Aber dann traut sie sich doch nicht. Vielleicht
haben Anna und die anderen etwas dagegen.

»Das ist echt klasse«, meint Phillip. »Wenn ihr schon dabei seid,
könnt ihr vielleicht auch die Getränkekarten entwerfen. Wir
wollen nicht viel anbieten, eigentlich nur Cola, Zitronen- und
Orangenlimo und ein paar Säfte, die wir mixen und mit
Schirmchen und Strohhalmen cocktailmäßig aufpeppen
können. Mädchen haben doch so viel Fantasie!« Er zwinkert
Conni zu. »Euch fallen bestimmt ein paar abgefahrene Namen
für unsere Cocktails ein.«

»Ganz bestimmt«, grinst Conni. »Du kriegst morgen eine lange Liste!«

***

Am Nachmittag hocken die vier Freundinnen in Annas
Zimmer vor dem Computer und zerbrechen sich den Kopf.
Wenn Phillip uns so sehen könnte, denkt Conni, würde er seine Meinung über Mädchen und ihre Fantasie bestimmt noch
mal gründlich überdenken. »Fällt euch denn gar nichts ein?«,
fragt sie die anderen. »Es kann doch echt nicht so schwer sein,
sich ein paar lustige Cocktailnamen auszudenken!«

»Lasst uns mal im Internet nachgucken«, schlägt Anna vor. Sie tippt das Wort Cocktail in die Suchmaske und hat wenig später das Ergebnis auf dem Bildschirm. »Wow! Das sind mehr, als ich dachte.«

»Wir können aber keine Namen von richtigen Cocktails benutzen«, meldet Dina sich zu Wort. »Bei denen ist nämlich genau vorgeschrieben, was alles reingehört. Und das Wichtigste ist anscheinend Alkohol.«

»Die Namen sollen uns doch nur inspirieren«, meint Billi. Sie wirft einen Blick auf das Suchergebnis und zieht die Augenbrauen hoch. »Tequila Sunrise, Sunset Daiquiri, Bloody Mary. Was für coole Namen!«

»Hihi«, kichert Anna. »Einer heißt ›Sex on the Beach‹!«

Dina wird rot. »Den nehmen wir aber nicht«, sagt sie. »Dann kriegen die Jungs sich überhaupt nicht mehr ein.«

»Du hast doch gehört, was Billi gesagt hat«, grinst Conni. »Es soll nur eine Inspiration sein.«

Im Handumdrehen wechselt Anna zum Word-Programm und erstellt eine Liste. »Eure Vorschläge, bitte«, sagt sie, während ihre Finger über der Tastatur schweben.

»Ich find's blöd, dass die alle englische Namen haben«, meint Billi. »Wir sollten uns möglichst was anderes ausdenken. Es gibt doch auch witzige deutsche Begriffe.«

»Wir wär's mit ›Anpfiff‹?«, schlägt Dina vor. »Das würde den Jungs bestimmt gut gefallen.«

»Genial!« Anna tippt das Wort ein. »Und woraus soll das Gebräu bestehen?«

»Aus Kirschsaft, Bananensaft und Kiwi«, sagt Dina. »Kirsche für die Rote Karte, Banane für die Gelbe und Kiwi für den Rasen.«

36

»Hey, das ist klasse!«, sagt Conni. Sie überlegt. »Wie findet ihr ›Käpt'n Blaubär‹ für einen Traubencocktail?«

»Spitzenmäßig!« Anna tippt eifrig.

»›Rote Ampel‹ für Tomatensaft!«, ruft Billi. »Und ›Sonnenschein am Strand‹ für Orangensaft!«

»›Schwarzer Kater‹ für Cola!«, sagt Dina.

»›Blondes Gift‹ für Orangenlimo«, meint Conni.

Schon bald füllt sich die Liste.

»Ich druck's uns nachher aus«, verspricht Anna.

»Wir haben ganz schön viel geschafft«, sagt Billi eine halbe Stunde später. »Ich glaube, wir haben mehr Namen, als wir brauchen.«

Conni stimmt ihr zu: »Wir suchen einfach die besten aus und lassen dann die ganze Klasse abstimmen, welche wir endgültig nehmen.«

Dina steht auf und streckt sich. »Ich bin ganz steif vom langen Sitzen«, stöhnt sie. »Wollen wir nicht einen kleinen Spaziergang mit Nicki machen? Es regnet ausnahmsweise mal nicht.«

Anna schüttelt den Kopf. »Ich war schon mit Nicki draußen. Außerdem hab ich gleich eine Verabredung.« Sie lächelt geheimnisvoll.

»Was? Mit wem?«, fragt Conni sofort.

»Wer ist es?«, will Billi wissen.

»Es ist nicht so, wie ihr denkt.« Anna kichert und gibt ihrem Drehstuhl so viel Schwung, dass sie sich ein paarmal um die eigene Achse dreht.

»Nun sag schon«, drängelt Conni. Was soll das denn?, denkt sie bei sich. Anna hatte doch noch nie ein Geheimnis vor mir. »Los, spuck's aus!«

»Es ist eine … nun ja, wie soll ich es sagen?« Anna rollt mit den Augen. »Eine Art Internet-Bekanntschaft.«

»Was!?«, entfährt es Dina. Sie reißt die Augen auf.

»Du kennst den Typen gar nicht?«, fragt Billi.

»Und du hast eine Verabredung mit ihm?« Conni traut ihren Ohren nicht.

»Ja, das heißt, eigentlich nein.« Anna sucht nach den richtigen Worten. »Es ist keine richtige Verabredung. Wir haben uns gestern in einem Chat getroffen, und weil wir uns so gut verstanden haben, haben wir für heute eine Uhrzeit vereinbart, zu der wir wieder zusammen chatten wollen. Ihr wisst schon, ein Chat ist so ein Treffpunkt im Internet, wo man sich mit anderen unterhalten kann. Man gibt etwas über die Tastatur ein, und die anderen können es lesen und antworten.«

»Abgefahren«, murmelt Billi.

Conni zieht die Augenbrauen zusammen. »Und was ist das für ein Typ, mit dem du dich da triffst und unterhältst?«

»Er nennt sich ›Moonwalker‹«, haucht Anna. »Ist das nicht romantisch?«

Billi bricht in prustendes Lachen aus. Auch Conni kann sich nur mühsam beherrschen. »Ja, total«, presst sie hervor.

Nur Dina bleibt ernst.

»Pass bloß auf«, sagt sie zu Anna, »was du diesem Moonwalker über dich erzählst. Im Internet sind die schlimmsten Verbrecher unterwegs. Die warten nur auf naive Mädchen, die sie in die Falle locken können. Das liest man doch jeden Tag in der Zeitung.«

»Erstens bin ich nicht naiv«, entgegnet Anna spitz, »und zweitens ist Moonwalker kein Verbrecher, der mich in irgendeine

Falle locken will.« Sie setzt sich kerzengerade hin und fixiert die Freundinnen vorwurfsvoll. »Ihr seid echt gemein!«

»Wir meinen es doch nur gut mit dir«, sagt Dina, während Conni und Billi sich bemühen, die Fassung zu wahren.

»Genau«, meint Conni.

Billi nickt. »Stimmt. Wir wollen nämlich nicht, dass du enttäuscht wirst von deinem … deinem …«, sie kann vor lauter Kichern nicht weitersprechen.

»Moonwalker«, vollendet Anna den Satz und steht auf. »Der Chat öffnet gleich.«

Conni stutzt. Soll das etwa ein Rauswurf sein? Es sieht ganz danach aus.

»Wollen wir morgen vielleicht ins Schwimmbad?«, fragt sie, als sie ihre Sachen zusammenpackt.

»Gute Idee!«, sagt Billi sofort. »Da waren wir schon seit Urzeiten nicht mehr!«

Auch Dina ist gleich einverstanden. »Ist mal was anderes, als jeden Nachmittag vor dem Computer zu hocken.«

Anna zögert. »Mal sehen«, sagt sie schließlich und schiebt die Freundinnen zur Tür. »Ich ruf dich später noch mal an«, raunt sie Conni zum Abschied zu.

»Okay«, sagt Conni.

Sie nickt, aber irgendetwas gefällt ihr an Anna nicht. Warum tut sie so geheimnisvoll? Und warum will sie sie so schnell loswerden? Und vor allem: Was hat es mit diesem geheimnisvollen Moonwalker auf sich? Nachdenklich verabschiedet sie sich von den anderen und stapft allein nach Hause.

Im Haus riecht es immer noch nach frischer Farbe, aber der Flur ist zum Glück wieder begehbar und die Küche vollständig eingerichtet. Sogar die widerspenstige Vorhangleiste hat Papa wieder montiert: bombenfest und erdbebensicher, so viel ist klar.

Conni gießt sich ein großes Glas Milch ein und zupft an den neuen Vorhängen. Sie passen perfekt zum zitronengelben Anstrich. Alles sieht hell und fröhlich aus.

»Hallo, Conni.« Mama guckt um die Ecke. »Ich hab dich gar nicht kommen hören.«

Sie wechseln ein paar Worte, dann schnappt Mama die Autoschlüssel von der Anrichte. »Ich muss los, Jakob vom Turnen abholen. Bis gleich.«

»Tschüs«, sagt Conni. Sie nimmt einen kleinen grünen Apfel aus dem Obstkorb und flitzt die Treppe hinauf, Kater Mau dicht auf den Fersen.

In ihrem Zimmer angekommen wirft sie sich aufs Bett, stopft sich ein dickes Kissen in den Rücken und beißt in den Apfel, dass es kracht. Mau setzt sich auf ihren Bauch und mustert sie aus Sphinxaugen. Conni streichelt ihm übers Fell. Mau verengt die Augen zu schmalen Schlitzen und schnurrt wie ein kleiner Motor.

Als der Apfel bis aufs Kerngehäuse abgenagt ist, wirft Conni ihn in den Papierkorb und zieht die obere Nachttischschublade auf. Sie angelt ihr Tagebuch und einen Stift heraus und fängt an zu schreiben:

Seit Anna einen Computer hat, ist
sie richtig komisch geworden.
Heute waren wir (Billi, Dina und ich)
bei ihr und haben uns Cocktailnamen
für unsere Fete ausgedacht. Wir hatten
echt viel Spaß und total tolle Ideen,
aber dann hat Anna uns raus-
geschmissen!
Raus - ge - schmis - sen!
Uns, ihre besten Freundinnen!!
Das muss man sich mal vorstellen!
Und warum? Nur weil sie im
Internet irgend so einen Heini
kennengelernt hat.
Moonwalker heißt er! Oh, Mann!
Ich möchte nicht wissen, wie Anna
sich in diesem Chat nennt.
Vielleicht Sundancer?
Oder Starrunner?
Ich bin ziemlich sauer, dass ihr
ein Typ, den sie nicht mal richtig
kennt, plötzlich wichtiger ist als
ihre Freundinnen!

Morgen geh ich mit Billi und Dina in die Schwimmhalle. Ich hab keine Lust, jeden Tag in Annas Zimmer vor dem PC zu hocken. Wenn sie nicht mitkommt, hat sie selber Schuld.
Von mir aus kann sie mit Moonwalker chatten, bis sie grün wird!

Conni klappt das Tagebuch zu. Erst jetzt merkt sie, wie sehr Annas Verhalten sie verletzt hat. Es ist ja okay, dass sie Spaß am Chatten hat, aber deshalb darf sie ihre Freundinnen doch nicht vernachlässigen, oder?

Na warte, denkt Conni. Wenn Anna nachher anruft, werde ich mal Klartext mit ihr reden.

Aber den Rest des Nachmittags wartet Conni vergeblich auf Annas Anruf. Als sie sich auch nach dem Abendessen noch nicht gemeldet hat, rümpft Conni die Nase. »Dann eben nicht!«, schimpft sie leise, als sie sich mit einem Buch in ihr Zimmer zurückzieht. »Blöde Kuh!«

»Warum hast du mich gestern nicht mehr angerufen?« Conni steht am Fahrradstand auf dem Schulhof und funkelt Anna an.

»Ups!« Annas Lachen wirkt gequält. »Hab ich total vergessen. Tut mir leid.«

Als Phillip wild klingelnd auf seinem silbernen Rennrad um die Ecke schießt, treten beide einen großen Schritt zurück. Mit einer Vollbremsung stoppt er kurz vor den Mädchen und lacht.

»Hallo, Ladies!«

»Hallo, Phillip«, erwidert Conni.

Anna sagt: »Hey, Phil«, was Conni ein bisschen albern findet, aber sie schluckt ihren Kommentar lieber runter. Ihre Laune ist sowieso schon mies, mieser geht's nicht.

Phillip schultert seinen dicken Rucksack und streicht sich eine widerspenstige Locke aus der Stirn. »Seid ihr zufällig dazu gekommen, die Getränkekarte auszudrucken?«, fragt er, als sie gemeinsam über den Pausenhof gehen und sich unter die anderen Schüler mischen, die in die Schule drängen.

»Ja, klar!«, sagt Conni. »Wir haben uns super Namen für unsere Cocktails ausgedacht und sogar eine Zutatenliste aufgeschrieben. Anna hat sie ausgedruckt.« Sie dreht sich zu Anna um. »Gib sie doch mal her. Vielleicht können wir nachher schon abstimmen, welche Cocktails wir an der Bar ausschenken.«

Anna wird puterrot. »Äh – sorry! Das hab ich glatt vergessen!«

»Was!?« Conni bleibt so abrupt stehen, dass ihr ein Fünftklässler ungebremst in die Hacken tritt. »Aua! Kannst du nicht aufpassen?«, raunzt sie ihn an.

Der Fünftklässler zieht den Kopf ein. »Reg dich mal nicht künstlich auf«, grinst er und trabt weiter.

»Blödmann!«, zischt Conni ihm hinterher.

»Ist doch halb so wild.« Phillip schüttelt den Kopf. »Anna kann mir die Liste auch mailen.«

Wie bitte? Das wird ja immer schlimmer! Phillips E-Mail-Adresse hab ich ja noch nicht mal!, denkt Conni. Aber wozu auch? Um ihm von Mamas altersschwachem PC Mails zu schicken? Na, danke. Sie spürt einen klitzekleinen Stich in der Herzgegend und seufzt.

»Klar, gerne«, säuselt Anna. »Gibst du mir deine E-Mail-Adresse?«

Phillip zieht einen zerknautschten Kassenzettel und einen Kuli aus seiner Jeansjacke und kritzelt seine Adresse drauf. »Hier, bitte«, sagt er und reicht Anna den Zettel, die ihn so ehrfürchtig entgegennimmt, als wäre er aus purem Gold.

Bis zur großen Pause würdigt Conni Anna keines Blickes mehr und versucht, ihre Nähe zu meiden. Was gar nicht so einfach ist, wenn man nebeneinandersitzt und sich zu zweit ein zerfleddertes Geschichtsbuch teilen muss.

»Ist was?«, raunt Anna ihr zu.

»Nö«, brummt Conni zurück.

Erst in der Pause gibt sie sich einen Ruck.

»Kommst du nun mit zum Schwimmen?«, fragt sie. Am liebsten hätte sie »Oder bist du wieder mit deinem Mister Moonwalker verabredet?« hinzugefügt, aber sie beißt sich schnell auf die Zunge.

»Hm, vielleicht«, antwortet Anna ausweichend. »Kann sein, dass ich mit Nicki zum Tierarzt muss. Er braucht eine frische Tollwut-Impfung.«

»Wir sind jedenfalls gegen drei an der Schwimmhalle«, mischt Billi sich ein.

»Am Eingang«, ergänzt Dina.

»Drei ist perfekt«, meint Conni, und an Anna gewandt: »Du kannst es dir ja noch mal überlegen. Wenn du Zeit und Lust hast, kommst du einfach, okay?«

Anna nickt nur und beißt schnell in ihr Pausenbrot.

***

»Glaubt ihr, Anna kommt noch?« Dina tritt auf der Stelle Wasser. Billi krault langsam um sie herum. Conni hat die Arme auf den Beckenrand gelegt und paddelt mit den Füßen an der Wasseroberfläche. Sie wirft einen Blick zur großen Uhr an der Wand und schüttelt den Kopf.

»Es ist gleich vier«, sagt sie. »Ich kann mir nicht vorstellen, dass sie noch kommt.«

»Blöd, oder?«, meint Billi.

Conni und Dina nicken gleichzeitig.

»Hey, Mädels!« Drei Jungs kommen aus Richtung der Umkleidekabinen und grinsen breit.

»Ach herrje. Das sind ja Phillip, Tim und Paul«, sagt Dina. Sie verschluckt sich fast vor Schreck.

»Na und?«, lacht Conni.

Billi klopft Dina auf den Rücken. »Ganz ruhig, die beißen nicht.«

Mit einem eleganten Kopfsprung taucht Phillip in das Becken und kommt genau vor Conni wieder zum Vorschein.

Paul und Tim schubsen sich gegenseitig ins Wasser, was sofort einen schrillen Trillerpfeifen-Pfiff und einen bösen Blick des Schwimmmeisters nach sich zieht.

»Wo ist Anna?«, wundert sich Paul, als er prustend wieder auftaucht. »Ihr seid doch sonst immer die siamesischen Vierlinge.«

Conni muss grinsen. Siamesische Vierlinge – wie sich das anhört! Aber Paul hat ja Recht: Bis vor kurzem waren Anna, Billi, Dina und sie wirklich unzertrennlich.

»Ihr ist wohl was dazwischengekommen«, murmelt sie.

»Klar«, knurrt Billi. »Ihr bescheuerter Computer höchstvermutlich.«

Phillip taucht mit einem Hechter ab. Er kommt hoch und streift sich die Haare aus dem Gesicht. »Seit sie den PC hat«, sagt er, »verbringt sie anscheinend ziemlich viel Zeit damit.«

»Genau wie Mark«, brummt Tim. »Der hängt auch nur noch im Internet rum.«

»Gestern war er nicht mal beim Fußballtraining!« Paul macht ein Gesicht, als wäre das ein Verbrechen.

»Ich hab neulich in einer Zeitschrift gelesen, dass Computer süchtig machen können«, sagt Dina. »Damit ist nicht zu spaßen.«

Paul hebt eine Augenbraue. »Echt?«

»Ja«, erwidert Dina. »Das haben medizinische Studien bewiesen. Das Internet hat ein ähnlich hohes Suchtpotenzial wie Alkohol, Nikotin und andere Drogen, stand in dem Heft.«

»Boah«, macht Paul. »Das ist ja ein Ding.«

»Dann können Anna und Mark ja bald eine Selbsthilfegruppe gründen.« Tim lacht gehässig.

»Hoffentlich nicht«, sagt Conni.

Phillip winkt ab. »Ach, das gibt sich wieder«, meint er. »Wenn man was Neues hat, verbringt man eben viel Zeit damit. Das war bei mir genauso, als ich meine Playstation bekommen hab. Hey, wollen wir 'ne Runde springen? Der Fünfer ist gerade frei.«

»Ohne mich!«, sagt Dina sofort. »Ich trau mich nicht mal vom Dreier!«

»Ich guck zu!«, ruft Billi begeistert und krault schon voraus.

Conni schüttelt den Kopf. »Ich schwimm lieber noch ein paar Runden und geh dann raus. Irgendwie ist mir kalt.«

Phillip lächelt ihr zu. »Dann bis später«, sagt er und schwimmt den anderen zum Sprungturm hinterher.

✳✳✳

Conni hängt gerade im Bad ihre Schwimmsachen auf, als es an der Haustür klingelt.

»Conni!«, ruft Mama. »Anna ist da!«

»Schick sie rauf!«, ruft Conni zurück.

»Sie hat Nicki dabei!«

Conni wirft ihren Badeanzug über eine Handtuchstange und flitzt nach unten. Auf Socken schlitternd kommt sie kurz vor der Tür zum Halten. »Hallo!«, sagt sie.

Nicki wedelt mit dem Schwanz. Anna grinst. »Hallo! Wir kommen gerade vom Tierarzt und ich wollte fragen, ob du vielleicht Lust auf einen kleinen Spaziergang hast.«

Conni zieht die Augenbrauen zusammen. Fängt Anna jetzt etwa auch noch an zu lügen, oder war sie wirklich mit Nicki beim Tierarzt? Aber warum sollte sie lügen? Wenn sie den Nachmittag im Chat verbracht hätte, würde sie es bestimmt sagen.

»Kleinen Moment! Ich zieh mir nur schnell eine Jacke über«, sagt sie.

»Schuhe wären auch nicht schlecht.« Anna zeigt auf Connis Wollsocken.

»Was? Ach so. Ja, klar!« Conni grinst und schlüpft in ihre Boots. Wenig später stapfen die Mädchen den Weg entlang, der zum Park führt. Nicki zieht an der Leine und hechelt.

»Er ist immer so aufgedreht, wenn er beim Tierarzt war«, sagt Anna entschuldigend. Conni nickt.

Eine Weile gehen die beiden schweigend nebeneinanderher.

»Wir haben dich im Schwimmbad vermisst«, sagt Conni schließlich. »Die Jungs waren auch da.«

»Echt?« Anna bleibt abrupt stehen. »Wer denn alles?«

»Phillip, Paul und Tim. Hättest du nicht nachkommen können?« Connis Stimme klingt vorwurfsvoll.

Anna zieht die Stirn kraus. »Bist du etwa sauer, weil ich mit meinem Hund zum Impfen gegangen bin, anstatt mit euch im Spaßbad rumzuplanschen?« Ihre Augen funkeln hinter den Brillengläsern.

»Nee, Quatsch«, versichert Conni schnell. »Ich hätte mich nur gefreut, wenn du mitgekommen wärst.«

Sie überqueren eine Straße und biegen in den Park ein. An der Hundewiese löst Anna die Leine. Nicki flitzt sofort los.

»Wollen wir uns hinsetzen?« Anna zeigt auf eine Bank.

Conni zieht ihre Jacke lang und setzt sich drauf. Die Sitzfläche der Bank ist eiskalt.

»Nächstes Mal komm ich mit«, sagt Anna und hält Conni mit todernster Miene die Hand hin. »Versprochen.«

»Okay«, lacht Conni und schlägt ein. »Aber wehe, wenn nicht! Dann hol ich dich persönlich ab!«

Anna lacht auch. »Okay, einverstanden!«

Sie gucken Nicki und zwei anderen Hunden beim Spielen zu. Conni weiß nicht so recht, was sie sagen soll.

Merkwürdig, denkt sie. Sonst haben wir uns immer was zu erzählen. Und wenn's der größte Blödsinn ist.

»Was macht denn deine Internet-Bekanntschaft?«, fragt sie nach einer ganzen Weile vorsichtig. »Hat Mister Moonwalker sich mal wieder bei dir gemeldet?«

Anna blinzelt in die blasse Herbstsonne und seufzt. »Ja, klar«, sagt sie. »Wir mailen uns jeden Tag oder treffen uns im Chat. Aber da sind auch immer andere dabei und reden mit. Das gefällt mir nicht so.«

»Über was unterhaltet ihr euch denn so?«, fragt Conni neugierig. Sie kann sich überhaupt nicht vorstellen, worüber sie sich mit einem wildfremden Jungen im Internet unterhalten sollte.

»Ach, über alles Mögliche.« Anna setzt sich kerzengerade hin und guckt Conni an. »Es ist unglaublich, wie gut wir uns verstehen. Ich hab das Gefühl, als würden wir uns schon ewig kennen.«

»Echt?«, fragt Conni skeptisch. »Nach den paar Tagen?«

»Ich weiß, das klingt komisch«, gibt Anna zu. »Aber es ist wirklich so.« Sie zögert, dann fragt sie: »Glaubst du, dass man sich virtuell verlieben kann?«

»Virtu-was?«, fragt Conni.

»Virtuell. Du weißt schon … virtuelle Realität, vom Computer simulierte Wirklichkeit«, erklärt Anna. »Das Gegenteil von unserem richtigen Leben sozusagen.«

»Ach so«, grinst Conni. »Alles klar. Du willst wissen, ob man sich in jemanden verlieben kann, den man nur aus dem Internet kennt und nicht in echt.«

Anna nickt eifrig.

»Klar, warum nicht?«, meint Conni. »Manche verknallen sich sogar in Popstars oder Schauspieler, ohne sie zu kennen.«

Anna winkt ab. »Das kann man doch gar nicht miteinander vergleichen. Popstars und Schauspieler sind unerreichbar. Mit denen kann man sich nicht unterhalten, sondern nur so tun, als ob. Mit Moonwalker und mir ist das ganz anders.« Sie seufzt noch einmal. »Ich hab das Gefühl, ich kann ihm alles anvertrauen. Er versteht mich, auch ohne viele Worte. Das ist so ein Gefühl von …«, Anna sucht nach den richtigen Worten, »von Gegenseitigkeit«, sagt sie schließlich. »Ich erzähle ihm etwas von mir, er erzählt mir etwas von sich.«

»Erzähl ihm bloß nicht zu viel«, sagt Conni erschrocken. In ihrem Kopf schrillt eine Alarmglocke. Ist Anna wirklich so naiv? »Du hast doch gehört, was Dina neulich gesagt hat: Im Internet treiben sich die übelsten Typen rum! Die denken sich irgendwas Tolles aus, und wenn die Mädchen ihnen dann vertrauen, verabreden sie sich mit ihnen und zeigen ihr wahres Gesicht.«

Anna hat anscheinend gar nicht zugehört. »Wir wollen uns bald mal treffen«, sagt sie verträumt, »um uns persönlich kennenzulernen. Vielleicht kommt er sogar zu unserem Schulfest. Man darf doch einen Freund mitbringen, oder?«

»Was!?« Conni hat das Gefühl, als würden ihr sämtliche Haare zu Berge stehen. »Das ist nicht dein Ernst!«

»Doch, klar.« Anna blinzelt verunsichert. »Warum denn nicht?«

Conni rutscht auf der Bank herum. »Weil du den Typen überhaupt nicht kennst!«

»Darum wollen wir uns ja treffen«, erwidert Anna. »Um uns kennenzulernen!« Sie macht ein vorwurfsvolles Gesicht und pfeift Nicki heran. »Moonwalker ist nicht so wie diese miesen Typen, von denen immer die Rede ist. Er ist total süß und lieb. Und unheimlich romantisch«, fügt sie bissig hinzu, als sie Nicki die Leine anlegt. »Im Gegensatz zu dir!«

»Ich bin nicht romantisch?«, schnappt Conni. »Wer sagt das?«

»Ich!«, zischt Anna. »Sonst würdest du nämlich verstehen, wie ich mich fühle.« Sie steht auf und zupft an der Leine. »Komm, Nicki. Wir gehen.«

Conni bleibt einen Moment sprachlos sitzen, dann springt sie auf. »Warte mal!« Im Laufschritt holt sie Anna ein. »Nun sei doch nicht so sauer. Ich hab's doch nicht böse gemeint.«

Anna verzieht keine Miene und blickt stur geradeaus. »Ach«, faucht sie. »Nicht?«

»Nein!«, stöhnt Conni. »Ich find's toll, dass du dich verliebt hast, ehrlich. Aber es ist komisch, dass du den Typen im Internet kennengelernt hast. Wenn es ein Junge aus unserer Klasse wäre oder einer von unserer Schule, dann würde man ihn wenigstens kennen.«

Anna bleibt stehen und lacht. »Also, die Jungs aus unserer Klasse kannst du wirklich vergessen. Die sind doch total kindisch. Na gut, nicht alle. Aber die meisten.« Sie tippt sich mit dem Finger an die Nase und überlegt. »Was hältst du davon, wenn ich Moonwalker wirklich zu unserer Fete einlade? Dann wäre ich nicht mit ihm allein, und ihr könntet sicher sein, dass ich mich nicht mit irgendeinem durchgeknallten Psychopathen treffe.«

»Das wäre eine Möglichkeit«, gibt Conni zu. Sie grinst Anna an. »Meinst du, er kommt?«

Anna grinst zurück. »Ich werde ihn fragen, sobald ich zu Hause bin!«

Am nächsten Morgen kann Conni es kaum erwarten, in die Schule zu kommen und Annas Bericht zu hören. Sie fängt die Freundin schon an den Fahrradständern ab. »Und?«, fragt sie. »Wie ist es gelaufen? Kommt er zu unserer Fete?«

»Ja, ja, ja«, nickt Anna aufgeregt. Ihre Wangen sind gerötet. »Er hat sich total über die Einladung gefreut und sich tausendmal bedankt! Ist das nicht süß?«

»Ja«, sagt Conni gutmütig. »So richtig romantisch.«

Als eine Fahrradglocke bimmelt, drehen sie sich um. Phillip, Paul, Tim und Mark schlittern lachend und johlend im Pulk über den Schulhof und bilden fast ein Knäuel, als sie ihre Räder gleichzeitig vor den Mädchen abbremsen.

»Hallo, ihr Hübschen!«, ruft Phillip gutgelaunt.

»Hallo, Jungs!«, ruft Conni zurück.

»Hey, Anna.« Mark wirft Anna einen scheuen Blick zu, den die aber kaum bemerkt.

»Hallo«, sagt sie beiläufig und dreht sich um. »Los, beeil dich, Conni. Es hat schon geklingelt.«

»Echt? Oh nein!«, ruft Conni. »In der Ersten schreiben wir Mathe. Los, schnell!«

Im Laufschritt spurten die beiden über den Schulhof und hechten die breite Treppe hinauf. Atemlos lassen sie sich auf ihre Plätze fallen.

»Frau Lindmann ist krank«, verkündet Dina strahlend.

»Ihr hättet gar nicht so rennen müssen«, grinst Billi. »Wir haben eine Freistunde.«

Conni und Anna gucken sich an und fangen an zu lachen. Besser als mit einer Freistunde kann ein Schultag gar nicht anfangen!

Am Nachmittag treffen sich die Freundinnen noch einmal bei
Anna, um die Getränke- und Eintrittskarten zu gestalten.
»Wollen wir wirklich Eintritt verlangen?«, fragt Billi mit gerunzelter Stirn. »Machen die anderen Klassen das auch?«
Dina nickt. »Die Geisterbahn-Macher schon, bei den anderen
bin ich mir nicht sicher.«
»Wie wär's, wenn wir in der Schule einen Schwung Freikarten
verteilen?«, schlägt Conni vor. »Damit machen wir bestimmt
viele neugierig. Und die, die keine Freikarte abbekommen,
müssen Eintritt bezahlen.«
»Aber nicht so viel«, meldet Anna sich zu Wort. »Ich finde,
zwanzig Cent sind genug. Und die Idee mit den Freikarten
finde ich spitze. Damit können wir richtig gut Werbung für
unsere Disko machen.«
»Okay, einverstanden.« Conni macht sich eine Notiz in ihrem
Collegeblock. »Natürlich müssen wir das noch in der Klasse
abstimmen.«
»Klar«, meint Anna. »Aber die werden einverstanden sein.«
»Und wie teuer sollen die Cocktails sein?«, fragt Dina. Sie sitzt
im Schneidersitz vor Annas Bett und krault Nickis weiches
Fell. Nicki liegt auf der Seite und schnarcht leise.

»Phillip meint, dass sein Vater die Limo und die Säfte im Getränkegroßmarkt besorgen kann«, sagt Conni.

»Dann weiß Phil bestimmt auch, wie hoch wir die Preise ansetzen können.« Anna schwenkt auf ihrem Stuhl herum und legt die Finger auf die Tastatur. »Ich kann ihm ja mal eine Mail schicken.«

»Nicht nötig!« Conni zückt schnell ihr Handy. »Ich ruf ihn an. Geht schneller«, fügt sie augenzwinkernd hinzu.

Anna zuckt mit den Achseln. »Von mir aus.«

Phillip ist sofort am Apparat. »Hey, Conni«, sagt er. »Was gibt's?« Connis Herz klopft ein bisschen schneller.

Sie erzählt ihm, womit sie gerade beschäftigt sind. »Uns fehlen nur noch die Preise für Eintritt und Getränke. Wenn wir die haben, können wir gleich alles fix und fertig ausdrucken und morgen mit in die Schule bringen.«

Phillip überlegt einen kurzen Moment. »Tragt zwanzig Cent für den Eintritt ein und fünfzig Cent pro Getränk«, sagt er schließlich. »Damit müssten wir hinkommen. Mein Vater hat schon alles bestellt. Der Getränkemarkt liefert frei Haus.« Er lacht und verbessert sich: »Beziehungsweise frei Schule.«

Conni lacht auch. Dann bedankt sie sich. »Wir werfen gleich den Drucker an. Morgen hast du die Karten.«

»Spitze! Viel Spaß noch, und grüß die Mädels von mir. Ciao.«

»Tschüs.« Conni drückt auf die rote Taste. »Zwanzig Cent Eintritt, fünfzig Cent pro Getränk«, wiederholt sie. »Und schöne Grüße von Phillip.«

Anna ergänzt die Preise in den vorbereiteten Entwürfen und schaltet den Drucker ein. »Wie viele Exemplare soll ich ausdrucken?«

»Verflixt!« Conni schlägt sich mit der flachen Hand an die Stirn. »Daran hab ich nicht gedacht!«

»Ich würde sagen, zwanzig Getränkekarten genügen fürs Erste. Wir legen ein paar in der Disko aus, der Rest wird an die Wände und über die Bar gepappt, wo jeder sie sehen kann«, meint Billi.

»Und vielleicht dreißig Freikarten und hundert Eintrittskarten?«, schlägt Dina vor.

»Mach hundertfünfzig draus«, sagt Conni zu Dina. »Unsere Unterstufe ist ziemlich groß. Und vielleicht kommen auch ein paar Lehrer.«

Anna gibt etwas in ihren PC ein. »Ich bekomme genau zehn Eintrittskarten auf ein DIN-A4-Blatt.« Sie grinst. »Wir müssen sie hinterher allerdings noch ausschneiden.«

»Kein Problem«, meint Conni.

»Das schaffen wir schon«, sagt Billi.

Dina nickt. »Klar. Hauptsache, du hast genug Scheren.«

Anna startet den Drucker. Während er Seite um Seite ausspuckt, kommt eine schnarrende Stimme aus den kleinen Lautsprecherboxen: »Sie haben Post!«

Schnell wechselt Anna zum Postfach und ruft die Mail ab.

»Bestimmt Post von Moonwalker«, raunt Billi den anderen zu und rollt mit den Augen.

Dina kichert verstohlen.

Conni beobachtet Anna. Die Mail scheint tatsächlich vom geheimnisvollen Mister Moonwalker zu sein. Während Anna sie liest, überzieht ein leichter Rosaton ihre Wangen.

»Na? Was schreibt er denn so?«, fragt Billi frech.

Anna macht ein unschuldiges Gesicht. »Wer?«

»Mis-ter Moon-wal-ker!«, rufen Conni, Billi und Dina im Chor.

»Euch kann man echt nichts verheimlichen, was?«, grinst Anna.

»Nichts«, erwidert Billi todernst.

»Nun sag schon«, drängelt Conni. »Was hat er geschrieben?«

»Ach, nichts Besonderes«, erwidert Anna. »Er hat sich nur gewundert, dass ich noch nicht im Chat bin.«

»Wie nennst du dich denn eigentlich?«, fragt Conni. »In so einem Chat haben doch alle einen Spitznamen, oder?«

»Nicknames, klar. Ich heiße …«, Anna zieht die Augenbrauen zusammen.

»Sag schon!«, drängelt Billi.

»Aber wehe, ihr lacht!«, droht Anna.

Conni, Billi und Dina gucken sich an. »Im Leben nicht!«, schwören sie feierlich.

Anna zögert und dreht sich mit ihrem Stuhl im Kreis. »Anna Montana. Was Besseres ist mir nicht eingefallen.«

»Klingt doch gut«, meint Dina.

Conni und Billi stimmen ihr zu. »Hört sich an wie der Künstlername einer Sängerin«, findet Billi.

»Reimt sich sogar«, stellt Conni fest. »Also, ich find den Namen cool!«

»Echt?« Annas Stirn wird noch ein bisschen krauser. »Ihr findet ihn nicht albern?«

»Nö«, sagt Billi. »Weiß Moonwalker denn auch deinen richtigen Namen?«

»Ja, den hab ich ihm mal verraten«, gibt Anna zu. »Aber nur den Vornamen. Er weiß auch, auf welche Schule und in welche Klasse ich gehe. Aber mehr nicht.«

»Er weiß also weder deinen Nachnamen noch deine genaue Adresse?«, hakt Conni nach.

»Nein.« Anna schüttelt energisch den Kopf. »Noch nicht jedenfalls«, fügt sie hinzu.

»Dann ist ja gut«, sagt Dina erleichtert. »Und andersrum? Weißt du inzwischen etwas mehr über ihn? Wie er heißt, wo er wohnt, wie alt er ist?«

Wieder schüttelt Anna den Kopf. »Er hat mir nur verraten, dass sein richtiger Name auch mit M anfängt, genau wie Moonwalker, und dass er ein bisschen älter ist als ich.«

Conni verschränkt die Arme hinter dem Kopf und betrachtet den Drucker bei seiner Arbeit.

»Das ist aber nicht sehr viel«, stellt sie fest. »Möchtest du denn nicht ein bisschen mehr von ihm erfahren? Was für Hobbys er hat, zum Beispiel?«

»Doch, schon«, sagt Anna gedehnt. »Aber er meint, dass wir noch genügend Gelegenheit haben werden, uns richtig kennenzulernen.« Sie räuspert sich. »Wir wollen uns Zeit lassen und nichts überstürzen.«

Eine Weile ist es still in Annas Zimmer. Nur der Drucker brummt vor sich hin und schiebt Blatt um Blatt in die Ablage. Mit einem lauten Piepton meldet er, dass er fertig ist.

Anna springt auf. »Ich hol dann mal ein paar Scheren!«

Als sie weg ist, gucken Conni, Billi und Dina sich an.

»Irgendwie komisch, oder?«, sagt Billi leise.

Dina nickt.

»Ich wüsste zu gern, wer dieser Moonwalker ist«, brummt Conni. »Anna ist total in ihn verknallt, obwohl sie ihn doch überhaupt nicht kennt und nicht mal weiß, wie er aussieht!«

»Hoffentlich macht sie sich nicht zu viele falsche Hoffnungen«, sagt Dina.

»Hoffentlich wird sie nicht enttäuscht«, seufzt Billi.

***

Am nächsten Morgen überreichen sie Phillip die Getränkekarten und einen dicken Stapel Eintrittskarten.

»Eigenhändig ausgeschnitten«, sagt Conni.

»Mit viel Liebe«, fügt Billi grinsend hinzu.

»Spitze!«, strahlt Phillip. »Vielen Dank! Damit haben wir schon fast alles zusammen.«

Mark mustert die Karten von allen Seiten. »Cooles Design«, meint er anerkennend.

Paul liest sich die Getränkekarten durch und lacht über die witzigen Namen der Cocktails. »Ich werd den ganzen Abend einen Anpfiff nach dem anderen bestellen!«

Janette schwebt heran, wie üblich mit Ariane und Saskia im Schlepptau. »Anstatt eure Zeit mit solch stupiden Dingen wie Eintrittskarten und alkoholfreien Drinks zu vergeuden, solltet ihr lieber an eurem Outfit arbeiten«, zischt sie. »Oder wollt ihr so in der Disko aufkreuzen?« Sie mustert Conni und die anderen von oben bis unten und schwebt weiter.

»Blöde Planschkuh!«, knurrt Billi ihr hinterher.

»Ein bisschen Recht hat sie schon, oder?«, meint Anna, als sie sich auf ihre Plätze schieben.

»Wer? Janette?« Conni lässt vor Schreck ihre Brotdose fallen.

Anna nickt. »Ja. Wir sollten uns wirklich langsam überlegen, was wir zur Fete anziehen.« Sie zupft an ihren Haaren. »Ich glaub, ich geh vorher auch noch mal zum Friseur.«

Conni starrt die Freundin an. »Echt?«

»Logo! Ich will doch nicht wie der letzte Strauchbesen rumhüpfen! Vielleicht lass ich mir mal Strähnchen machen.«

Conni schluckt. Okay, dass man sich ein bisschen fetzig anzieht, wenn man auf eine Fete geht, gut und schön. Aber muss man sich deshalb gleich komplett umstylen?

»Und was ziehst du an?«, fragt sie.

»Weiß ich noch nicht«, antwortet Anna. »Vielleicht das pinkfarbene Minikleid, das ich im Urlaub bekommen habe. Falls meine Mutter es erlaubt«, fügt sie seufzend hinzu.

Conni runzelt die Stirn. Über ihr Party-Outfit hat sie sich überhaupt noch keine Gedanken gemacht. Sie guckt an sich herunter: Sweatshirt, Jeans, Turnschuhe. Wie immer. Vielleicht hat Janette ja ausnahmsweise mal Recht? Vielleicht sollte sie sich tatsächlich mal ein paar Gedanken über ihr Outfit machen?

»Wir können doch ein paar T-Shirts mit Glitzersteinchen verzieren«, schlägt Dina vor. »Das sieht bestimmt total süß aus.«

»Oder mit Textilfarbe besprühen!«, ruft Billi begeistert. »Die gibt es in allen möglichen Farben, sogar in Neon. Dann leuchten die Motive im Dunkeln!«

»Klasse!« Conni klatscht die beiden ab. »Das ist eine super Idee! Und was ist mit dir?«, fragt sie Anna.

Die grinst. »Zu Glitzersteinchen konnte ich noch nie Nein sagen. Und da meine Mutter mir sowieso nicht erlauben wird, dass ich das Minikleid anziehe, bin ich beim T-Shirt-Besprühen dabei! Wollen wir uns heute Nachmittag in der Stadt treffen und alles besorgen?«

Conni zückt ihren Collegeblock und notiert:

1. T-Shirts (einfarbig)
2. Glitzersternchen
3. Textilfarben (Neon)

»Gebongt! Wie wär's um drei am Marktplatz?«

Anna, Billi und Dina sind einverstanden.

»Cool!« Conni klappt ihren Block zu und lacht. »Wir werden uns die schrillsten Party-T-Shirts ausdenken, die dieses alte Gemäuer jemals gesehen hat!«

Anna zwinkert ihr zu. »Janette wird vor Neid glatt erblassen!«

***

»Wie spät ist es?«, fragt Conni. Sie steht mit Billi und Dina am vereinbarten Treffpunkt und tritt von einem Fuß auf den anderen.

»Gleich zwanzig nach drei«, knurrt Billi. Sie verzieht das Gesicht. »Wie lange wollen wir noch warten?«

Dina seufzt vernehmlich. »Ich hab nur bis vier Zeit. Wenn Anna nicht langsam kommt, können wir unseren Einkaufsbummel vergessen.«

Conni ist stocksauer. Immer wieder blickt sie in die Richtung, aus der ihre Freundin kommen muss. Vergeblich, von Anna ist weit und breit nichts zu sehen. Sie angelt ihr Handy aus dem Rucksack und wirft einen Blick auf das Display. Kein Anruf, keine Nachrichten. »Sie hätte wenigstens anrufen können«, brummt sie, »oder eine SMS schicken.«

»Wie lange wollen wir denn noch warten?«, wiederholt Billi ihre Frage. »Mir frieren gleich die Ohren ab!« Sie drängt sich gegen eine Hauswand und versucht, sich gegen den eiskalten Wind zu schützen. »Mann, die kann was erleben!«

Conni nickt düster. »Ich versuch noch mal, sie zu erreichen. Das ist aber jetzt echt das allerletzte Mal. Fünfmal hab ich's schon versucht.«

Sie tippt gerade Annas Nummer ein, als von der anderen Seite des Marktplatzes jemand laut »Huhu!« ruft.

»Das ist Anna!«, sagen Billi und Dina gleichzeitig.

Conni schiebt ihr Handy zurück. »Na«, sagt sie grimmig. Mehr nicht.

»Tut mir echt leid«, schnauft Anna schon von weitem. »Mein Fahrrad hatte einen Platten, und dann ist mir auch noch der Bus vor der Nase weggefahren.« Sie zieht ein Papiertaschentuch aus der Tasche und putzt sich geräuschvoll die Nase. »Danke, dass ihr gewartet habt!«

»Wir wollten gerade los«, sagt Billi.

Conni grinst. Sie freut sich, dass Anna da ist, und verzeiht ihr die Verspätung. Gegen höhere Gewalt wie platte Reifen und überpünktliche Busse ist schließlich jeder machtlos.

»Dann mal los!«, sagt sie. »Wohin gehen wir zuerst?«

»In den Drogeriemarkt.« Dina geht schon voraus. »Da sollten wir alles bekommen.«

»Bis auf die T-Shirts«, meint Anna. »Die holen wir nebenan bei Butterweck. Der hat gerade welche im Sonderangebot, hat meine Mutter gesagt.«

Wenig später stehen sie mit Tüten und Taschen beladen in der Fußgängerzone der kleinen Stadt. Dina wirft einen Blick auf die Kirchturmuhr.

»Ich muss los«, sagt sie. »Sorry. Wir sehen uns morgen in der

Schule.« Sie winkt den anderen zu und verschwindet in Richtung Bushaltestelle.

»Und was fangen wir jetzt an?«, fragt Billi. »Ich könnte eine kleine Stärkung vertragen.«

»Ich auch«, sagt Conni. »Für Eis ist es heute zu kalt, aber bei Angelo gibt es auch heiße Schokolade.«

»Hmm«, macht Anna. »Ich bin dabei!«

Sie laufen um die Ecke und poltern lachend in das gemütliche kleine Eiscafé am Marktplatz. Am Fenster ist noch ein runder Tisch frei.

»Dreimal heiße Schokolade, bitte!«, bestellt Billi.

Bevor Angelo mit den Getränken kommt, begutachten die Mädchen noch schnell ihre Einkäufe: vier weiße T-Shirts, mehrere Dosen Textilspray und viele kleine Tütchen mit verschiedenen Glitzersteinchen und -sternchen zum Aufkleben.

»Wir werden umwerfend aussehen«, stellt Anna fest. »Aber Strähnchen lass ich mir trotzdem noch machen.«

»Beim Friseur ist Strähnchenmachen ziemlich teuer, oder? Gibt es die nicht auch zum Aufsprühen?« Billi zieht die Nase kraus und niest dreimal hintereinander.

»Gesundheit«, sagt Conni. Sie mustert sich in einem Wandspiegel und fragt sich, wie sie wohl mit einer anderen Haarfarbe aussehen würde. »Kann man die auch wieder auswaschen, oder bleiben die drin?«

»Die gehen bei der nächsten Haarwäsche wieder raus«, sagt Billi. »Hatte ich mal zum Fasching. In Grün!«

Conni und Anna grinsen sich an.

»Hast du noch Geld?«, fragt Conni.

Anna nickt. »Und du?«

Conni schüttelt ihr Portmonee und nickt auch. »Ich glaube, wir sind mit unseren Einkäufen noch nicht ganz fertig!«

»Gebongt!«, sagt Billi und niest zur Bestätigung gleich noch einmal.

Als Angelo die großen Kakaobecher auf den Tisch stellt, stoßen sie kichernd miteinander an.

»Ich nehm blaue«, verkündet Billi.

»Ich rote«, sagt Conni.

»Und ich pinkfarbene.« Anna schlürft die Sahne von der Schokolade, um die Sache zu besiegeln.

»Und was ist mit Dina?«, fragt Billi.

Conni hat einen Sahneschnurrbart auf der Oberlippe, als sie antwortet: »Die kriegt von unseren Strähnchenfarben etwas ab, so richtig schön bunt. Das wird der Hit!«

»Er hat mich gefragt, ob wir uns nicht vor dem Schulfest schon mal treffen wollen«, flüstert Anna aufgeregt. »Nur wir beide. Damit wir uns nicht so fremd sind.«

»Was? Wer?« Conni versucht, den komplizierten Aufbau einer elektrischen Schaltung von der Tafel in ihr Heft abzuzeichnen. Im Physikraum ist es still. Alle arbeiten konzentriert. Alle – außer Anna. Die pinselt kleine rosa Herzchen in ihre Kladde, durchbohrt sie mit hellblauen Pfeilen und malt in kunstvollen Schnörkeln die Buchstaben A und M darunter.

»Moonwalker«, zischt Anna Conni zu. »Wer sonst?«

Conni lässt den Stift sinken und seufzt. »Gibt es noch ein anderes Thema für dich?«

Herr Schwarz beugt sich von hinten über Annas Heft. »Sieht so deine Vorstellung einer Parallelschaltung aus?«, fragt der Physiklehrer freundlich.

Anna wird knallrot und schiebt schnell ein Löschblatt über die Herzchenkunst. »Ähm, ja, das heißt, eigentlich nicht direkt«, stottert sie.

»Dann beeil dich bitte und sieh zu, dass du die Schaltung noch abzeichnest, bevor es gongt«, rät Herr Schwarz. »Wir schreiben nächste Woche einen Test über das Thema.«

»Ja, klar. Mach ich.« Hektisch klappt Anna ihr Mäppchen auf, durchwühlt es nach einem spitzen Bleistift und fängt an, die Schaltung abzuzeichnen.

Bis zur Pause hat sie tatsächlich eine krakelige Skizze in ihrem Heft, allerdings ohne zu wissen, was sie da überhaupt gemalt hat. »Und was soll das Ganze jetzt?«, fragt sie, als sie ihre Physiksachen einpackt.

»Es hat was mit Strom zu tun«, erwidert Conni grinsend. »Im weitesten Sinne.«

Gemeinsam mit Billi und Dina suchen sie sich ein ruhiges Eckchen auf dem Pausenhof. Anna schlürft geräuschvoll Saft aus einer Tüte.

»Hast du mir vorhin überhaupt zugehört?«, fragt sie schließlich vorwurfsvoll.

Conni runzelt die Stirn. »Was meinst du?«

»Oh, Mann, ich hab dir gesagt, dass Moonwalker sich mit mir treffen will«, stöhnt Anna. »Und zwar schon vor unserer Fete.«

»Ach ja.« Conni beißt in ihren Apfel.

»Und? Machst du's?«, fragt Billi neugierig.

»Ich glaub schon«, meint Anna. »Warum nicht?«

»Weil du den Typen nicht kennst, zum Beispiel«, sagt Dina sofort. »Und weil du rein gar nichts über ihn weißt.«

»Stimmt ja gar nicht!« Anna zerdrückt die Safttüte mit einer Hand. »Ich kenne ihn sehr gut, nur eben nicht persönlich. Und genau das wollen wir demnächst ändern.« Sie stampft mit dem Fuß auf wie ein trotziges Kind, bevor sie sich umdreht und ihre Safttüte schwungvoll im Müllkorb versenkt.

»Treffer«, sagt Billi trocken.

Conni wirft Anna einen Blick zu. »Überleg es dir doch noch

mal«, bittet sie. »Du hast doch gesagt, ihr wollt nichts überstürzen. Warum also plötzlich diese Eile? In drei Wochen ist unsere Fete. Bis dahin —«

»Bis dahin haben wir uns längst getroffen«, zischt Anna. »Ob ihr wollt oder nicht. Das ist mir vollkommen egal.«

Als es zur Stunde gongt, wendet sie sich ab und stapft voraus. »Ihr habt mir gar nichts zu sagen«, brummt sie vor sich hin. »Ihr seid doch nur eifersüchtig. Lasst mich einfach in Ruhe. Ich bin schließlich kein Baby mehr.«

Conni, Billi und Dina folgen ihr mit einigem Abstand ins Schulgebäude. Conni ist außer sich.

»Das darf doch nicht wahr sein!«, schimpft sie. »Wie kann sie nur so naiv sein? Nachher trifft sich ein wildfremder Mann mit ihr und hat wer weiß was vor … Ihre Eltern wissen garantiert nicht Bescheid! Die würden das nicmals erlauben!«

»Ich fürchte, da sind wir machtlos.« Dina hebt ratlos die Schultern. »Wenn Anna sich was in den Kopf gesetzt hat, zieht sie es durch.«

Billi kratzt sich am Kopf. »Sie ist eben stur.«

»Stimmt, leider«, seufzt Conni. »Da gibt's nur eins: Wir müssen herausfinden, wann und wo Anna sich mit diesem Mister Moonwalker trifft.«

»Wozu?«, fragt Dina.

»Um sie im Auge zu behalten«, sagt Conni.

»Du meinst, wir —«, Billi bläst die Backen auf.

Connis Gesicht ist ernst, als sie antwortet: »Genau. Wir legen uns auf die Lauer und nehmen diesen Moonwalker mal ein bisschen genauer unter die Lupe. Wir suchen uns ein Versteck, von dem aus wir alles genau beobachten können. Dann können wir Anna wenigstens zu Hilfe kommen, falls es nötig sein sollte.«

Dina reißt die Augen auf. Billi lässt die angehaltene Luft zischend entweichen. »Oh, Mann …«, murmelt sie leise, »wenn das mal gutgeht!«

***

Am Nachmittag holt Conni ihr Tagebuch aus der Schublade. Sie hat lange nichts eingetragen und blättert ein paar Seiten zurück.

Anna, Anna – fast auf jeder Seite taucht Annas Name auf.

Kein Wunder, denkt Conni. Im Moment dreht sich schließlich alles um sie. Um sie und diesen blöden Moonwalker!

Sie seufzt, als sie eine neue Seite aufblättert und anfängt zu schreiben:

> Anna ist wild entschlossen, sich mit
> M. zu treffen. Billi, Dina und ich schaffen
> es einfach nicht, es ihr auszureden.
> Unsere Warnungen überhört sie
> einfach, oder sie lacht darüber und
> behauptet, wir wären eifersüchtig,
> weil sie verliebt ist und wir nicht.
> So ein Quatsch! Wir machen uns
> Sorgen, dass ihr was passiert, wenn
> sie sich mit einem wildfremden Typen
> trifft. Wer weiß, was dieser M. vorhat?

Vielleicht (hoffentlich!) erweist sich ja auch alles als ganz harmlos, und M. ist wirklich nur ein netter Junge, der sich in Anna verknallt hat. Aber was, wenn nicht ???

Conni lässt den Stift sinken.

»Warum muss alles so kompliziert sein?«, fragt sie Kater Mau, der auf dem Flickenteppich sitzt und sich mit Hingabe putzt. »Warum kann Anna sich nicht in einen Jungen aus unserer Klasse verlieben?«

Mau hält mitten in der Bewegung inne und blinzelt Conni zu. Sein linkes Ohr ist abgeknickt, die rechte Pfote schwebt in der Luft. Es sieht aus, als würde er angestrengt darüber nachdenken. Als er mit der Fellpflege fortfährt, legt Conni ihr Tagebuch in die Schublade zurück und steht auf.

»Zuerst muss ich mal herausfinden, wann und wo Anna sich mit ihrem Mister Moonwalker trifft«, sagt sie zu Mau. »Und dann sehen wir weiter!«

Sie geht nach unten und schnappt sich das Telefon vom Dielenschränkchen. Jakob hat Besuch von Pauls kleiner Schwester: Er hockt mit Marie auf dem Teppich im Wohnzimmer und puzzelt. Die beiden haben die Teile überall im Wohnzimmer verstreut und achten gar nicht auf Conni.

Mama sitzt in ihrer Arbeitsecke am Computer. Sie sieht auf, als sie Conni bemerkt. »Hallo«, lächelt sie. »Willst du uns Gesellschaft leisten?«

»Vielleicht später.« Conni winkt mit dem Telefon und stürmt

schon wieder die Treppe hinauf. »Ich muss mal eben Anna anrufen. Ich habe ein paar Fragen wegen der Hausaufgaben.«

»Ist gut. Schöne Grüße.«

Connis Herz klopft ein bisschen, als sie Annas Nummer eintippt. Was soll ich denn überhaupt sagen?, überlegt sie fieberhaft. Irgendetwas möglichst Unauffälliges, sonst schöpft Anna gleich Verdacht. Freiwillig rückt sie den Treffpunkt sowieso nicht raus.

»Mist!«, flucht sie leise. »Warum hab ich mir das nicht vorher überlegt?«

Sie will gerade auflegen, als Annas Mutter am Apparat ist. Jetzt oder nie!, denkt Conni und zwingt sich zu einem freundlichen Lächeln in der Stimme.

»Hallo, hier ist Conni«, sagt sie. »Ist Anna da?«

Es dauert einen Moment, bis Anna am Apparat ist. Conni hört sie die Treppe herunterhüpfen und eine Melodie summen.

»Hier bin ich, und wer ist da?«, meldet sie sich.

Conni muss grinsen. Schöne Art, sich am Telefon zu melden! Sie schafft es, Anna in ein belangloses Gespräch über die Schule im Allgemeinen und das Schulfest im Speziellen zu verwickeln, und will gerade fragen, ob sie am Freitag mit zum Schwimmen kommt, da senkt Anna ihre Stimme und flüstert: »Morgen um drei treffe ich mich mit Moonwalker. Auf der Brücke über dem Ententeich im Stadtpark.« Sie seufzt vernehmlich. »Ist das nicht romantisch?«

Conni lässt fast das Telefon fallen.

Das läuft ja wie geschmiert!, denkt sie. Anna rückt die wichtige Information freiwillig raus – genial!

»Oh, ja«, sagt sie schnell. »Das ist toll!« Mit der linken Hand kritzelt sie »Stadtpark, Entenbrücke, drei Uhr!!!« auf die Rückseite eines Briefumschlags. »Du willst es also wirklich durchziehen? Hast du überhaupt keine Angst?«

»Wovor denn?« Anna lacht. »Die Entenbrücke im Stadtpark ist ein beliebter Treffpunkt, da wimmelt es nur so von Spaziergängern und Joggern. Und um drei ist es noch hell. Was soll schon passieren? Wenn er wirklich so ein Monster ist, wie ihr glaubt, schrei ich einfach.« Sie kichert.

Conni kann ein Seufzen nicht unterdrücken. »Du musst wissen, was du tust«, sagt sie. »Trotzdem find ich's nicht gut.«

»Ich weiß«, antwortet Anna spitz. »Das Thema hatten wir schon.«

Um Anna nicht misstrauisch zu machen, erkundigt Conni sich danach, was Anna zum Treffen mit Moonwalker anziehen will.

»Ich weiß es noch nicht«, stöhnt Anna. »Ich bin gerade dabei, meinen Kleiderschrank auszumisten, und finde trotzdem nichts Richtiges. Ich bin viel zu aufgeregt!«

»Das glaub ich dir«, sagt Conni. Man trifft sich schließlich nicht jeden Tag mit einem Wildfremden in einem Park!, würde sie am liebsten hinzufügen. Stattdessen sagt sie: »So ein Rendezvous ist aber auch echt aufregend. Weißt du noch, als ich damals zum ersten Mal mit Phillip verabredet war? Ich war so nervös!«

Anna kichert. »Klar, das weiß ich noch genau. Und dann sind wir alle heimlich zu eurem Treffpunkt gekommen und haben dich überrascht!«

»Oh ja! Ich hatte noch nie so viel Spaß beim Eisessen!«, lacht Conni.

»Ob ich Nicki mitnehmen soll?«, fragt Anna plötzlich.

»Klar, warum nicht?«

»Vielleicht mag Moonwalker keine Hunde.«

»Kann ich mir nicht vorstellen.« Conni kaut auf der Unterlippe. »Nimm ihn mit!«, sagt sie. »Wenn er keine Hunde mag, ist er sowieso nicht der Richtige für dich!«

»Da hast du Recht«, gibt Anna zu. »Du, sei mir nicht böse, aber ich muss jetzt weiterwühlen. Wir sehen uns morgen in der Schule, okay?«

»Bis morgen dann. Tschüs.« Conni legt das Telefon zur Seite und betrachtet nachdenklich den bekritzelten Briefumschlag. Um drei Uhr an einem Freitagnachmittag ist der Stadtpark zwar nicht wirklich einsam, trotzdem ist es ein beruhigendes Gefühl, dass Anna ihren Hund mitnimmt. Obwohl Nicki mehr ein Knuddeltier als ein blutrünstiger Wachhund ist, wird er bestimmt auf Anna aufpassen, denkt Conni. Und wir auch!

Sie wählt Billis Nummer und berichtet ihr die Neuigkeiten.

»Wir sollten uns vielleicht schon eine halbe Stunde früher treffen«, schlägt Billi vor, »und uns ein gutes Versteck suchen. Wir dürfen nicht riskieren, dass Anna uns entdeckt.«

Conni gibt ihr Recht. »Zum Glück ist der Stadtpark schön grün und zugewachsen. Da gibt es genügend Verstecke.«

»Wir haben November«, gibt Billi zu bedenken. »Da sind die Büsche und Bäume ziemlich kahl.«

»Ach herrje!«, sagt Conni. »Daran hab ich nicht gedacht!«

»Wir werden schon was finden«, meint Billi zuversichtlich. »Ich sag Dina gleich Bescheid, dass wir uns um halb drei am Eingang treffen, okay? Morgen in der Schule können wir das nicht mehr besprechen, wenn Anna in der Nähe ist.«

»Gut.« Conni notiert die Uhrzeit auf dem Umschlag. »Punkt

halb drei am Eingangstor. Und zieh dir was Unauffälliges an, wegen der Deckung. Keine leuchtenden Farben, okay?«

Billi lacht leise. »Schon kapiert, Fräulein Geheimagentin. Aber Masken und Handschuhe müssen wir nicht tragen, oder?«

Conni lacht auch. »Nee, das wird wohl nicht nötig sein. Aber trotzdem – sicher ist sicher. Sag's auch Dina, ja?«

Billi verspricht es und beendet das Gespräch.

Conni bleibt nachdenklich an ihrem Schreibtisch sitzen. Ob es wirklich richtig ist, was sie da vorhaben? Darf man eine Freundin bespitzeln?

Sie überlegt hin und her und kommt zu dem Schluss, dass ihnen gar nichts anderes übrigbleibt. Wenn etwas passiert, würden wir uns ewig Vorwürfe machen, denkt sie. Und wenn nichts passiert und Mister Moonwalker total harmlos ist – umso besser! Dann können wir uns unauffällig verdrücken, und Anna wird nie etwas von unserer Geheimaktion erfahren.

Ihr Magen grummelt vor Anspannung, ihr Herz klopft. Wenn doch nur schon Freitagnachmittag wäre!

Pünktlich um halb drei am Freitagnachmittag treffen Conni, Billi und Dina sich am Eingangstor zum Park. Nicht weit von der Entenbrücke entfernt stehen ein paar hohe Tannen. Schnell verschwinden die Mädchen hinter den dichten Zweigen und kauern sich in das feuchte Gras.

»Perfekt«, meint Conni. »Von hier aus haben wir alles im Blick.«

»Seht ihr schon was?« Billi reckt den Hals und schiebt einen tiefhängenden Zweig zur Seite. Dina schüttelt den Kopf.

»Nichts«, murmelt Conni.

Die drei hocken dicht nebeneinander. Es ist eiskalt und neblig. Vor ihren Mündern bilden sich weiße Atemwölkchen.

»Hätte Anna sich nicht im Sommer verlieben können?«, brummt Billi. »Morgen haben wir eine Lungenentzündung.«

»Da kommt einer«, flüstert Dina aufgeregt. Zwischen den Zweigen hindurch zeigt sie auf die Brücke. Ein dunkelhaariger Mann geht langsam am Geländer entlang und bleibt auf dem höchsten Punkt der kleinen Holzbrücke stehen. Er zieht ein Handy aus der Jackentasche und hält es sich ans Ohr.

»Der ist viel zu alt«, winkt Billi ab. »Der ist doch mindestens schon dreißig!«

»Wir wissen doch nicht, wie alt Moonwalker wirklich ist«, raunt Conni ihr zu. »Er hat Anna vielleicht ein falsches Alter genannt.«

Billi schluckt.

Gespannt beobachten sie den Mann auf der Brücke, aber der hat sein Handy wieder eingesteckt und stapft weiter.

»Blinder Alarm!« Conni atmet auf.

»Hey, dahinten ist Mark!« Billi steht auf und winkt. »Huhu!«

Conni zieht sic blitzschnell zurück. »Spinnst du?«, zischt sie ihr zu. »Vielleicht ist Anna schon in der Nähe! Da kannst du ja gleich ein Leuchtschild aufstellen: Unter dieser Tanne hocken deine Freundinnen und bespitzeln dich!«

»Ups«, grinst Billi. »Hab ich glatt vergessen.«

In einiger Entfernung rollt Mark langsam auf seinem Mountainbike vorbei. Er hat die Mädchen nicht bemerkt und verschwindet schon bald aus ihrem Blickfeld. Dafür sieht Conni plötzlich einen wohlbekannten Hund am anderen Ende der Brücke auftauchen.

»Das ist Nicki«, flüstert sie den anderen zu. »Anna kommt! Duckt euch, schnell!«

Zwei junge Männer schießen auf ihren Rennrädern über den Sandweg, der sich rund um das kleine Wäldchen schlängelt.

»Mann!«, murrt Billi. »Hier sind Radrennen verboten.«

Conni achtet nicht auf sie. Sie konzentriert sich voll auf die Brücke, die über den Ententeich führt. Kurz hinter Nicki kommt Anna. Sie geht betont langsam, schlenkert mit der Hundeleine und sieht sich immer wieder um.

»Ob sie wohl ein Erkennungszeichen vereinbart haben?«, fragt Dina.

»Bestimmt«, meint Billi. »Hat sie was in der Hand? Eine rote Rose vielleicht?«

»Nein«, flüstert Conni. »Nur Nickis Hundeleine. Wie spät ist es?«

»Zwei Minuten vor drei«, antwortet Billi. »Wenn Mister M. pünktlich ist, sollte er langsam mal auftauchen. Ganz schön gemein, sie so zappeln zu lassen!«

Conni nickt angespannt. Sie lässt Anna keine Sekunde aus den Augen und kann sehen, wie nervös die Freundin ist. Anna kaut unablässig auf der Unterlippe, bleibt stehen, geht weiter und streicht sich dabei immer wieder die Haare aus der Stirn. Am liebsten würde Conni aufspringen und zu ihr laufen, aber das geht natürlich nicht.

Arme Anna, denkt sie und ballt die Hände zu Fäusten.

»Gleich fünf nach«, meldet Billi. »Glaubt ihr, er hat sie versetzt?«

»Hoffentlich nicht«, murmelt Dina. »Dann wäre alles umsonst.«

»Der kommt noch«, ist Conni überzeugt. »Ganz bestimmt. Vielleicht ist er auch schon längst da und beobachtet sie, genau wie wir.«

»Meinst du?« Dina macht ein erschrockenes Gesicht.

»Möglich wär's.« Conni haucht sich in die Hände, um sie aufzuwärmen. Warum hat sie auch keine Handschuhe angezogen? Ihre Füße sind auch schon halb erfroren. Die Zehen spürt sie schon gar nicht mehr. Und alles wegen Anna!

Sie ist einen Moment abgelenkt und bemerkt nicht, dass Nicki plötzlich mit fliegenden Ohren quer über die Wiese angeschossen kommt – direkt auf ihr Versteck zu! Er jault und bellt gleichzeitig und wedelt dazu wie verrückt mit dem Schwanz, als er die drei Mädchen unter der Tanne entdeckt.

»Oh, nein!«, stöhnt Billi, als Nicki ihr mit seiner rosa Zunge begeistert das Gesicht abschleckt.

»Verflixt!«, schimpft Conni. Sie versucht, Billi von Nicki zu befreien, aber der lässt sich nicht wegschieben und drängelt nur umso wilder in das Tannenversteck hinein.

»Nicki!«, ertönt im selben Moment Annas Stimme. »Wo bist du? Hierher!«

Conni erstarrt. Anna klingt ziemlich nah. Sie schiebt Nicki schnell unter einem Tannenzweig hindurch und gibt ihm einen kleinen Klaps auf das Hinterteil. »Zisch ab! Lauf zu Frauchen!«

Nicki bellt erschrocken auf und schießt wie eine kleine Kanonenkugel unter der Tanne hervor, allerdings nur, um sofort umzudrehen und sich erneut wild bellend auf die Mädchen zu stürzen. Das Versteckspiel scheint ihm wirklich großen Spaß zu machen.

Als plötzlich Annas Schuhe vor ihrer Nase auftauchen und über ihrem Kopf ein großer Tannenzweig angehoben wird, wünscht Conni sich, auf der Stelle unsichtbar zu sein. Oder zumindest bis über die Ohren im Erdboden zu versinken und erst irgendwo am anderen Ende der Welt wieder aufzutauchen.

»Könnt ihr mir bitte erklären, was das hier zu bedeuten hat?« Anna betont jedes einzelne Wort. Ihre Stimme klingt eiskalt und schneidend. Ihr Gesicht ist blass.

Conni schluckt. »Hallo, Anna«, sagt sie leise.

»Shit«, murmelt Billi.

Dina senkt den Kopf.

Annas Miene ist starr. Wie eine Maske, denkt Conni erschrocken. »Wir können dir alles erklären«, sagt sie schnell. »Es ist nicht so, wie es aussieht!«

»So?« Anna lacht bitter. »Wie sieht es denn aus?« Sie fuchtelt mit Nickis Leine vor Connis Nase herum. »Meine besten Freundinnen spionieren mir hinterher! Gebt es zu: Ihr wolltet euch über mich lustig machen!« Ihre Stimme überschlägt sich, so wütend ist sie. Wütend und gekränkt.

Conni kann sehen, dass Anna mit den Tränen kämpft, und fühlt sich miserabel.

»Es tut mir leid«, bringt sie mühsam hervor. Sie steht auf und will einen Schritt auf Anna zugehen, aber die weicht ihr aus.

»Bleibt doch, wo ihr seid!«, schnaubt sie. »Ihr habt alles verdorben, alles!«

»Anna, wir wollten nicht …«, setzt Billi an.

Anna unterbricht sie.

»Haltet den Mund!«, ruft sie und schluchzt auf. »Ihr seid nicht mehr meine Freundinnen. Ihr habt mir und Moonwalker aufgelauert, um über uns herzuziehen, und jetzt habt ihr alles kaputt gemacht! Gebt es doch endlich zu!«

»Nein«, sagt Conni leise. »Das stimmt nicht. Wir wollten auf dich aufpassen. Mehr nicht. Wir haben uns Sorgen gemacht.«

Einen Moment lang ist es ganz still in dem kleinen Wäldchen im Park. Conni holt tief Luft.

»Auf mich aufpassen?«, wiederholt Anna langsam. Ihre Stimme bebt. »Glaubt ihr tatsächlich, dass ich nicht auf mich selbst aufpassen kann? Bildet ihr euch ein, ich brauche euch?«

Sie mustert Conni, Billi und Dina der Reihe nach und schüttelt den Kopf. »Ich brauche niemanden. Und euch schon gar nicht!«

Sie fährt herum und stürzt tränenblind davon. Sie sieht die beiden Radfahrer nicht, die ihr Rennen um den Wald noch nicht beendet haben und in hohem Tempo um die Kurve schießen. Laut aufschluchzend verbirgt sie das Gesicht in beiden Händen.

»Anna!«, schreit Conni entsetzt. »Pass auf!«

Billi und Dina stehen stocksteif neben ihr.

Nicki bellt erschrocken auf.

Endlich reißt Anna die Hände vom Gesicht und bleibt wie erstarrt stehen. Die Radfahrer rufen ihr etwas zu. Sie sind viel zu schnell und können nicht mehr bremsen. Aber Anna ist wie gelähmt. Mit herabhängenden Armen, die Augen weit aufgerissen, bleibt sie mitten auf dem Weg stehen. Sie öffnet den Mund, als wolle sie etwas sagen. Im selben Moment wird sie schon vom ersten Rad erfasst und zu Boden gerissen.

»Anna! Nein!« Conni hört den Schrei, ohne zu wissen, dass sie es ist, die geschrien hat.

Beide Radfahrer stürzen. Sie rollen sich geschickt ab und bleiben benommen auf dem Sandweg liegen. Das zweite Rad schießt durch die Luft auf Anna zu, die bewegungslos und seltsam verkrümmt neben dem Weg liegt. Das Vorderrad trifft sie hart am Kopf.

»Nein!«, schluchzt Dina auf.

Billi rennt als Erste los. Kurz vor Anna bleibt sie stehen.

»Anna?«, fragt sie leise.

Anna antwortet nicht.

Die beiden Radfahrer haben sich mühsam aufgerappelt.

»Um Himmels willen!«, ruft der eine. Er blutet aus einer Platzwunde an der Stirn. »Ich … ich konnte nicht mehr bremsen! Ich hab sie zu spät gesehen!«

Der andere zückt schon sein Handy. »Wir brauchen einen Notarzt und einen Rettungswagen«, hört Conni ihn wie durch dichten Nebel sagen. »Im Stadtpark wurde ein Mädchen angefahren und verletzt. Bitte beeilen Sie sich. Das Mädchen ist bewusstlos.«

Der Mann wirft sein Handy achtlos ins Gras und kniet sich neben Anna. »Hallo«, sagt er. »Kannst du mich hören?«

Conni steht noch immer unter dem Baum. Ihr ist schrecklich kalt, sie will etwas sagen, aber sie bringt kein Wort heraus.

Neben ihr steht Dina und schluchzt.

Nicki ist zu Anna gelaufen. Immer wieder stupst er sie an und winselt leise.

»Tun Sie doch was!«, schreit Billi die Radfahrer an. »Sie können sie doch nicht einfach so liegen lassen!«

»Ganz ruhig.« Der eine Radfahrer legt eine Hand auf Billis Schulter. »Der Rettungsdienst ist jeden Moment hier.«

Der andere Radfahrer hat Anna vorsichtig in die stabile Seitenlage gebracht und fühlt ihren Puls. »Sie atmet«, sagt er. »Der Puls ist stabil.«

»Aber sie blutet!«, ruft Billi außer sich. Sie zeigt auf eine schmutzige Schramme in Annas Gesicht, aus der Blut sickert.

Inzwischen hat sich rund um die Unfallstelle eine kleine Menschenmenge versammelt. Eine junge Frau zieht ihren Anorak aus und deckt Anna behutsam damit zu. Sie redet leise mit ihr und streicht ihr vorsichtig eine Haarsträhne aus der Stirn.

Auch Mark ist unter den Umstehenden. Sein Gesicht ist kalkweiß. Die Hände hat er um den Lenker seines Mountainbikes gekrampft.

»Anna«, murmelt er leise. »Das hab ich nicht gewollt.«

Als endlich das laute Martinshorn des Rettungswagens die Stille des Parks durchbricht, fängt Conni an zu zittern.

»Es ist meine Schuld«, murmelt sie tonlos. »Es ist alles meine Schuld.«

Dina nimmt ihre Hand. »Sag das nicht«, flüstert sie. »Bitte.«

Conni schlottert am ganzen Leib. »Doch«, murmelt sie. »Ich bin schuld. Ich ganz allein.«

Wie aus weiter Ferne sieht sie zuerst den Notarztwagen und dicht dahinter einen Krankenwagen durch den Park holpern. Conni läuft ihm entgegen, hebt beide Arme und winkt hektisch. »Hier!«, ruft sie. »Hierher!«

Die Menschen treten zurück und bilden eine Gasse. Ein paar von ihnen gehen weiter, einige bleiben stehen. Mark wendet sich um. Tränen laufen ihm über die Wangen, als er sein Rad langsam davonschiebt. Niemand achtet auf ihn.

Die Radfahrer erklären dem Notarzt in knappen Worten, was passiert ist. Der nickt ernst und kniet sich neben Anna, um sie zu untersuchen.

Conni kann sehen, dass zwei Sanitäter eine Trage aus dem Krankenwagen ziehen und neben Anna ins Gras stellen. Sie sieht auch, dass der Notarzt Anna abhorcht und ihr dann den Jackenärmel aufschneidet, um eine Infusion anzulegen. Sie sieht, dass er ihren Kopf ganz vorsichtig anhebt und ihr einen Kragen umlegt. Sie sieht, dass er ihr rechtes Bein untersucht und provisorisch schient. All das sieht Conni, ohne es wirklich zu begreifen. Dina steht neben ihr, aber Conni spürt es nicht. Sie spürt nur Kälte in sich. Und Angst. Es ist eine große Angst, die ihr Herz umklammert und ganz langsam zudrückt und ihr die Luft zum Atmen nimmt.

Anna hat mir vertraut, hämmert es unentwegt in ihrem Kopf. Ich muss zu ihr!

Sie lässt Dina stehen und stolpert zur Unfallstelle.

Anna wird vorsichtig auf die Trage gelegt und in den Rettungswagen geschoben, während der Notarzt die beiden Radfahrer versorgt.

»Sie kommen am besten mit in die Klinik«, sagt er zu dem einen. »Die Platzwunde muss genäht werden.«

Der Radfahrer nickt. Der andere hebt die Räder auf und lehnt sie gegen eine Parkbank.

Conni geht langsam auf den Rettungswagen zu. Anna liegt blass und schmal auf der Trage. Sie ist bis zum Kinn zugedeckt. Ein Mullverband verdeckt die blutende Wunde auf der Stirn. Über ihr hängt eine Infusionsflasche, aus der eine durchsichtige Flüssigkeit durch einen Schlauch direkt in ihren Arm läuft. Einer der Sanitäter schiebt Conni sanft zur Seite und schließt die Tür.

Jemand hat die Polizei gerufen. Eine Polizistin und ein Polizist steigen aus einem Streifenwagen, befragen die Umstehenden und vermessen die Unfallstelle.

Billi hat Nicki an die Leine genommen und streichelt ihm mechanisch über das Fell. Dina steht daneben und spricht mit dem Polizisten, immer wieder von einem Weinkrampf unterbrochen.

Die Welt scheint stillzustehen. Conni hat selten zuvor so schreckliche Angst gehabt.

Als der Rettungswagen, gefolgt vom Notarzt, den Park verlässt und mit Blaulicht in Richtung Klinik jagt, würde sie am liebsten hinterherlaufen.

Die Polizistin kommt auf sie zu und räuspert sich. »Hallo, Conni«, sagt sie ruhig. »Deine Freundinnen haben mir gesagt, wie du heißt. Mein Name ist Bente Dörfler. Ich habe ein paar Fragen an dich. Meinst du, du kannst sie mir beantworten?«

Conni hebt den Kopf. Frau Dörfler sieht nett aus. Sie ist noch sehr jung, stellt sie fest, hat braune Augen und ein warmes Lächeln.

Conni nickt. »Ich hab alles gesehen«, sagt sie leise. »Ich bin schuld. Ich weiß es.«

»Nein, Conni«, sagt die Polizistin, »das stimmt nicht. Niemand gibt dir die Schuld. Wir haben Aussagen von verschiedenen Augenzeugen. Die Radfahrer waren viel zu schnell. Sie haben den Radweg verlassen und sind auf dem Gehweg gefahren, was im Park verboten ist. Deine Freundin hatte keine Chance, sie rechtzeitig zu sehen oder ihnen auszuweichen. Es war ein Unfall.«

»Aber ich bin schuld an dem Unfall«, murmelt Conni. »Ich ganz allein.«

Die junge Polizeibeamtin schüttelt den Kopf und seufzt. »Deiner Freundin geht es bestimmt bald besser«, sagt sie. »Mach dir keine Sorgen, und vor allem keine Vorwürfe. Ich habe mit dem Notarzt gesprochen. Er vermutet, dass Anna eine Gehirnerschütterung und ein gebrochenes Bein hat. Ganz genau wird man das erst in der Klinik feststellen können. Annas

Eltern haben wir schon informiert. Sie sind auf dem Weg ins Krankenhaus.« Sie legt Conni eine Hand auf die Schulter und mustert sie aufmerksam. »Willst du mir jetzt meine Fragen beantworten? Es geht nur darum, was du und deine Freundinnen gesehen habt. Wir können uns in den Streifenwagen setzen. Du siehst aus, als ob du frierst. Anschließend bringen wir euch nach Hause und sprechen mit euren Eltern. Einverstanden?«

»Okay«, nickt Conni.

Billi und Dina sitzen schon im Streifenwagen. Billi hat Nicki auf dem Schoß und drückt ihn an sich. Dinas Augen sind rot und verquollen. Beide blicken Conni ängstlich entgegen. Dina fängt sofort wieder an zu weinen.

Conni erzählt der Polizistin, was sie gesehen hat. Warum sie und Billi und Dina sich unter der Tanne versteckt hatten, interessiert die Beamtin nicht. Sie fragt nur immer wieder nach den Radfahrern, wie schnell sie waren, wo Anna stand, und aus welcher Richtung sie kamen.

Conni versucht sich zu konzentrieren und beantwortet die Fragen, so gut sie kann, aber in Gedanken ist sie bei Anna. Ob sie inzwischen in der Klinik ist?

Sie fühlt sich wie in Eiswasser getaucht, ganz steif und starr. Wie lange die Befragung gedauert hat, weiß Conni nicht. Erst als der Streifenwagen sich endlich in Bewegung setzt und wenig später zu Hause anhält, fängt sie wieder an zu zittern.

Frau Dörfler bringt Conni zur Haustür und klingelt.

Papa ist zu Hause. Er wird blass, als er Conni und die Polizistin sieht.

»Meine Güte«, sagt er erschrocken. »Ist etwas passiert?«

Conni fällt ihm um den Hals. »Papa!«, schluchzt sie. »Papa!«

Frau Dörfler kommt mit hinein und erklärt Connis Vater, was geschehen ist.

Conni sitzt auf dem Sofa und klammert sich an Papas Arm. Ihre Knie zittern. Wenn Mama doch nur hier wäre, denkt sie.

»Ich rufe gleich meine Frau an«, sagt Papa zu Frau Dörfler, als die sich verabschiedet. »Sie ist Kinderärztin.«

Die Polizistin nickt. »Das ist gut. Vielleicht kann sie Ihrer Tochter etwas zur Beruhigung geben.« Sie wendet sich an Conni. »Wir bringen jetzt Billi und Dina nach Hause. Und dann fahren wir ins Krankenhaus, um zu sehen, wie es deiner Freundin Anna geht. Wir brauchen auch noch ihre Aussage. Mach dir keine Sorgen. Es wird alles gut.«

Sie reicht Conni die Hand. Die bringt nur ein kleines Lächeln zustande. »Danke«, flüstert sie.

»Kein Problem, dafür sind wir da.« Frau Dörfler sctzt ihre Dienstmütze auf und lässt sich von Papa zur Tür bringen.

Conni hockt sich auf die Kante des Sofas. Als Mau neben sie springt und seinen Kopf liebevoll an ihrem Bein reibt, nimmt sie ihren kleinen Kater in den Arm und drückt ihn ganz fest an sich. Schon bald ist sein Fell nass von ihren Tränen.

Als wenig später Mama nach Hause kommt, springt Conni auf und wirft sich ihr in die Arme.

»Oh, Mama«, schluchzt sie.

Mama streichelt ihr über den Rücken und setzt sich mit ihr auf das Sofa. »Scht, scht«, macht sie. »Ganz ruhig. Alles wird gut.«

Das hat die Polizistin auch gesagt, denkt Conni. Aber woher wollen die das so genau wissen?

»Nichts ist gut! Gar nichts!«, stößt sie hervor.

»Papa hat mir am Telefon erzählt, was passiert ist«, sagt Mama. »So einen Unfall mit ansehen zu müssen, ist immer ein Schock.« Sie nimmt Connis Gesicht in beide Hände. »Aber oft sieht es schlimmer aus, als es ist. Das musst du mir glauben.«

Conni befreit sich aus ihren Händen und zieht sich die Wolldecke bis ans Kinn. »Aber es war so schrecklich! Arme Anna …«

Sie krampft die Finger in den weichen Wollstoff und schluchzt auf. Dann erzählt sie noch einmal ganz genau, was passiert ist: von ihrem Versteck unter der Tanne, wie Anna sie entdeckt hat und wütend weggerannt ist und schließlich von den Radfahrern, die ein Wettrennen ausgetragen haben.

Conni hat das Gefühl, sie muss es immer wieder erzählen, weil es dadurch vielleicht weniger schlimm wird. Aber das stimmt nicht. Je mehr sie an den Unfall denkt und darüber spricht, umso lebendiger werden die Bilder: Anna im Gras neben dem Weg, ihr bleiches Gesicht, das Blut …

Jakob ist ins Wohnzimmer gekommen und hört mit großen Augen zu. Papa nimmt ihn schnell in den Arm.

»Ich kenne den Chefarzt der Kinderklinik«, sagt Mama. »Ich bin sicher, dass Anna bei ihm in den besten Händen ist.« Sie steht auf und geht zu ihrer Arzttasche, die neben dem Schreibtisch steht. Sie holt ein kleines Fläschchen heraus und träufelt ein paar Tropfen auf einen Plastiklöffel. »Wenn Anna eine Gehirnerschütterung und einen Beinbruch hat, geht es ihr bald besser. Heute ist Freitag, vielleicht dürft ihr sie am Sonntag schon besuchen.« Sie hält Conni den Löffel hin. »Nimm das mal. Ruh dich aus und schlaf ein bisschen.«

»Ich will aber nicht schlafen«, schnieft Conni.

»Es wird dir bestimmt guttun«, meint Papa. Er streicht Conni über die Stirn. »Ich bleibe bei dir. Wenn du wieder wach bist, rufen wir Annas Eltern an. Bestimmt können sie uns schon sagen, wie es Anna geht und wann ihr sie besuchen könnt.«

Widerwillig schluckt Conni die bitteren Tropfen und verzieht das Gesicht.

»Ich kann Anna nicht besuchen«, sagt sie leise. »Sie will mich nicht mehr sehen.«

Sie lässt sich in die Sofakissen zurückfallen und erzählt ihren Eltern von Moonwalker und dass sie und Billi und Dina Anna vor dem Fremden beschützen wollten.

Mama und Papa hören aufmerksam zu.

»Mach dir keine Vorwürfe«, sagt Papa. »Ich glaube, ich hätte an eurer Stelle genauso gehandelt. Ihr habt euch Sorgen gemacht, und Anna wollte nicht auf euch hören. Dass es zu dem Unfall gekommen ist, ist eine Verkettung unglücklicher Umstände. Es ist nicht eure Schuld.«

»Ihr könnt wirklich nichts dafür«, stimmt Mama ihm zu. »Und ich bin sicher, dass Anna das auch weiß.«

»Wirklich?« Conni schließt die Augen.

»Ganz bestimmt.« Mama zieht die Decke glatt und gibt Conni einen Kuss. »Versuch jetzt ein bisschen zu schlafen. Wir sind hier.«

Als Conni aufwacht, ist es still im Wohnzimmer. Mama sitzt in einem Sessel und liest. Papa hilft Jakob beim Puzzeln. Auf dem Tisch steht ein großer Teller mit belegten Brötchen. Daneben steht eine runde Kakaokanne auf einem Stövchen und verströmt einen aromatischen Schokoduft im Raum.

Mau hat sich in Connis Armbeuge zusammengerollt. Er hebt den Kopf und schnurrt leise, als er merkt, dass sie wach ist. Conni streichelt ihn. Sie spürt, wie ihr sofort wieder Tränen in die Augen schießen.

Mama steht auf und setzt sich neben sie. »Ich hab mit Annas Mutter telefoniert«, sagt sie, während sie Conni eine Haarsträhne aus der Stirn streicht. »Anna geht es gut. Sie hat eine leichte Gehirnerschütterung und mehrere Schürfwunden. Außerdem ist ihr Sprunggelenk angebrochen. Sie wird ein paar Tage zur Beobachtung in der Klinik bleiben müssen. Aber es besteht kein Grund zur Besorgnis. Du musst keine Angst mehr haben. Ihr könnt Anna jederzeit besuchen.«

Conni schmiegt sich in den Arm ihrer Mutter und zieht geräuschvoll die Nase hoch. »Das ist gut«, murmelt sie, während in ihrem Kopf alles durcheinanderpurzelt. Sie fühlt sich erleichtert und traurig und unheimlich müde – alles zugleich. Aber Anna geht es gut. Das ist die Hauptsache.

»Möchtest du etwas essen?« Mama zieht den Teller näher heran, aber Conni wird schon vom bloßen Anblick der belegten Brötchen schlecht. Sie schüttelt den Kopf.

»Nur was trinken«, sagt sie.

Mama gießt den heißen Kakao in einen Becher und reicht ihn Conni. Die umklammert den Becher mit beiden Händen.

»Alles wird gut«, sagt Mama noch einmal. Conni nickt.

Als sie später in ihrem Bett liegt und an die Decke starrt, kommt ihr der vergangene Tag wie ein einziger böser Albtraum vor.

»Ich wünschte, es wäre wirklich nur ein Traum«, flüstert sie in die Dunkelheit, bevor sie endlich einschläft.

***

Am nächsten Morgen ist Conni schon ganz früh wach. Im Haus ist es noch still.

Gut, dass heute Samstag ist, denkt sie, als sie sich vorsichtig streckt. Wie spät es wohl ist?

Kurz nach fünf, zeigt ihr ein kurzer Blick auf den Wecker. Conni seufzt. Ihre Glieder fühlen sich so schwer an, als würden Bleigewichte daran hängen. In ihrem Kopf brummt es. Mühsam wühlt sie sich aus dem Bett und steht auf. Draußen ist es noch dunkel. Dichter Nebel hängt über dem kleinen Garten. Jakobs Schaukel schwingt ganz leicht hin und her. Fröstelnd zieht Conni die Schultern hoch und schlüpft zurück ins Bett. Ans Einschlafen ist nicht mehr zu denken, dafür schwirren ihr viel zu viele Dinge im Kopf herum. Am liebsten würde sie Anna anrufen, sie fragen, wie es ihr geht, und sie um Verzeihung bitten. Ob Anna ihr jemals verzeihen kann?

Sie haben sich schon ein paarmal ziemlich doll gestritten und nicht mehr miteinander geredet. So wie damals auf der Klassenfahrt nach Sylt, als Anna plötzlich unbedingt Janettes Freundin sein wollte. Oder im Zeltlager, als sie wegen Phillip eifersüchtig auf Conni war. Jedes Mal haben sie sich wieder vertragen. Ob sie das jetzt auch schaffen?

Conni versucht sich in Annas Lage hineinzuversetzen. Wie hätte sie wohl reagiert?

Bestimmt genauso wütend und enttäuscht wie Anna, so viel ist klar.

»Wir haben alles falsch gemacht«, murmelt sie. »Echt alles. Wie konnten wir nur so doof sein?«

Sie nimmt ein Buch vom Nachttisch und versucht zu lesen, um sich abzulenken, aber es funktioniert nicht. Seufzend steht sie auf, schlüpft in ihre Hausschuhe und geht nach unten.

Mau sitzt im Wohnzimmer auf der Fensterbank und starrt hinaus. Conni lässt ihn in den Garten. Wie ein Schatten huscht er davon.

Dann wickelt sie sich in eine Wolldecke und setzt sich an Mamas Computer. Sie zögert, bevor sie ihn einschaltet.

Als der blaue Startbildschirm aufleuchtet, gibt sie Mamas Passwort ein, ruft das E-Mail-Programm auf und gibt Annas Mail-Adresse ein.

»An Anna Montana«, schreibt Conni in die Betreffzeile, in das Textfeld darunter:

Liebe Anna,

ich könnte verstehen, wenn Du diese Mail löschst, ohne sie zu lesen. Aber bitte, bitte, lies sie trotzdem!!!

Ich weiß, dass Du sauer auf mich bist, und wenn Du nie wieder mit mir reden willst, kann ich das auch verstehen.

Was ich mir am meisten wünsche, ist, dass Du schnell wieder gesund wirst. Wenn ich könnte, würde ich mit Dir tauschen und an Deiner Stelle im Krankenhaus liegen!

Ich hab mich so blöd benommen, dass es dafür keine Entschuldigung gibt, aber ich hoffe, dass Du mir trotzdem irgendwann verzeihst.

Du bist meine allerallerbeste Freundin und Du wirst es immer bleiben!!!!!

Deine Conni

PS: Ich bleib Deine Freundin, auch wenn Du mich jetzt hasst und nie mehr sehen willst!

Conni hat einen dicken Kloß im Hals, als sie die Mail noch einmal durchliest. Entschlossen drückt sie auf Absenden und atmet aus.

Ob Anna im Krankenhaus überhaupt Mails empfangen kann? Conni runzelt die Stirn und fährt den PC herunter.

Ach, egal, denkt sie. Irgendwann wird sie sie schon lesen. Auf jeden Fall ist sie froh, dass sie die Mail geschrieben hat, auch wenn sie damit nichts ungeschehen machen kann.

Sie löscht das Licht und schleicht auf Zehenspitzen die Treppe hinauf in ihr Zimmer. Dort kuschelt sie sich wieder in ihr gemütliches Bett. Vielleicht kann sie ja doch noch ein paar Stündchen schlafen?

Conni ist nach ihrem frühen Ausflug an den PC tatsächlich noch einmal eingeschlafen. Mama hat sie geweckt und ihr das Frühstück ans Bett gebracht. Den halben Vormittag hat Conni mit Lesen und Musikhören verbummelt. Immer wieder musste sie dabei an Anna denken. Ob sie die E-Mail inzwischen gelesen hat?

Sie sitzt an ihrem Schreibtisch und betrachtet verträumt die kleine Kristallkugel, die sie mit Phillip im Wald gefunden hat. Es kommt ihr vor, als wäre das schon ewig lange her, dabei liegt die abenteuerliche Nacht im Zeltlager noch gar nicht lange zurück. Sie hatte sich verlaufen und war in einen Graben gefallen, aus dem Phillip sie gerettet hat. Wenig später haben sie die funkelnde Kugel entdeckt.

Ohne anzuklopfen, schiebt Jakob seinen Kopf in Connis Zimmer. Er winkt mit dem Telefon. »Billi ist dran!«

»Danke, gib her«, sagt Conni und verscheucht ihren Bruder mit einer wedelnden Handbewegung. »Und vergiss nicht, die Tür zuzumachen. Von außen!«

»Du hast einen Pickel auf der Nase«, kichert Jakob und zieht die Tür hinter sich zu.

»Hab ich gar nicht!« Conni ist sich ziemlich sicher, dass Jakob am Schlüsselloch lauscht, aber es ist ihr egal. Und den blöden Pickel hat sie selbst schon gesehen.

»Hallo, Billi«, meldet sie sich.

»Hey, Conni.« Billis Stimme klingt gedämpft. »Ich dachte, ich ruf mal an und frag, wie's dir geht.«

»Nicht so gut«, sagt Conni ehrlich. »Und dir?«

»Auch nicht so doll«, seufzt Billi. »Es war echt schrecklich, nicht?«

»Ja«, bringt Conni mühsam hervor. Sie spürt, wie der dicke Kloß in ihrer Kehle bedrohlich anschwillt. Seit Annas Unfall ist er da und rührt sich nicht von der Stelle, sosehr Conni sich auch bemüht, ihn hinunterzuschlucken.

Die beiden schweigen einen Moment.

Conni fällt es schwer, etwas zu sagen. Schließlich räuspert sie sich. »Hast du schon was von Anna gehört?«

»Nee, aber meine Mutter hat mit ihrer Mutter telefoniert. Und Dinas Mutter arbeitet im Krankenhaus, wo Anna liegt. Sie war schon bei ihr und hat gemeint, dass es ihr gutgeht und dass sie bald wieder nach Hause darf.«

»Das ist ja klasse!« Conni fällt ein Stein vom Herzen. »Dann kann Dinas Mutter sie ja von uns grüßen.«

»Hat sie schon«, meint Billi. »Dina und ich wollen sie morgen vielleicht mal besuchen. Kommst du mit?«

Conni spürt ein nervöses Grummeln in der Magengegend. »Ähm, ja, mal sehen«, murmelt sie ausweichend. »Ich sag dir noch Bescheid, okay?«

»Okay«, erwidert Billi. »Du kannst mich ja morgen Vormittag anrufen. Mein Vater könnte uns hinfahren und wieder abholen.«

»Ich melde mich«, verspricht Conni. »Bis morgen.«

Nachdenklich drückt sie auf die kleine rote Taste und legt das Telefon auf den Tisch. Ihr Herz pocht. Ob sie Anna wirklich besuchen sollen?

Vielleicht will sie uns nicht mehr sehen, überlegt Conni. Oder sie macht uns schreckliche Vorwürfe und schmeißt uns achtkantig wieder raus! Andererseits … Vielleicht wartet sie auch auf uns? Vielleicht liegt sie in ihrem blöden Krankenhausbett und fragt sich die ganze Zeit, wo wir bleiben? Immerhin sind Billi, Dina und ich ihre besten Freundinnen!

Wir waren ihre besten Freundinnen, korrigiert sie sich schnell. Ob wir's noch sind, wird sich zeigen.

Sie greift nach ihrem Buch, um ein bisschen weiterzulesen, als das Telefon läutet.

»Hallo?«, meldet sie sich. »Hier ist Conni Klawitter.«

»Hi, Conni! Ich bin's, Phillip!«

Conni setzt sich kerzengerade hin.

»Hi«, sagt sie und lässt vor Schreck fast das Buch fallen. Geschickt fängt sie es in der letzten Sekunde auf.

»Ich hab gerade gehört, was mit Anna passiert ist«, sagt Phillip. »Ziemlicher Mist, oder?«

Conni widerspricht ihm nicht. »Das kannst du laut sagen«, seufzt sie.

»Wie geht's dir? Ich stell es mir echt heftig vor, so was mitzuerleben.«

Conni nickt, obwohl Phillip das natürlich nicht sehen kann.

»Es geht schon«, sagt sie leise. Sie kann Phillip atmen hören. Es klingt ganz nah und irgendwie beruhigend. Fast so, als würde er neben ihr sitzen.

»Hast du vielleicht Lust auf einen kleinen Spaziergang?«, fragt er. »Wir könnten ein bisschen durch die Stadt bummeln und irgendwo einen Kakao trinken.«

»Äh, ich weiß nicht …« Conni fährt sich durchs Haar. Bestimmt sehe ich aus wie die letzte Vogelscheuche, denkt sie. Mit meinen fettigen Haaren, dem Stresspickel und total verheult – so kann ich Phillip unmöglich unter die Augen treten!

»Wie wär's in einer Stunde am Wasserturm?«, schlägt Phillip vor. »Wenn du willst, komm einfach dorthin. Ich warte auf dich.«

»Aber, ich – «, setzt Conni zum Protest an.

»Kein Aber. Wenn du nicht kommst, komm ich zu dir. Also, sei pünktlich! Ciao!« Ohne ein weiteres Wort legt Phillip auf.

Für Sekunden bleibt Conni wie gelähmt an ihrem Schreibtisch sitzen und starrt das Telefon an. Dann springt sie auf, wirft Buch und Telefon achtlos auf ihr Bett und durchwühlt hektisch den Klamottenstapel, der sich in einer Ecke des Zimmers auftürmt. »Verflixt! Was soll ich nur anziehen?«

Sie wirft einen Blick in den kleinen Wandspiegel und stöhnt auf. »Haare waschen muss ich auch noch!«

Schnell flitzt sie ins Bad und wirft die Tür hinter sich zu.

Wenig später ist sie mit dem Ergebnis einigermaßen zufrieden. Ihr Gesicht ist zwar blass und schmal, die Augen sind rot und haben dunkle Schatten, aber wenigstens duften ihre Haare frisch. Und den Pickel hat sie mit einem Abdeckstift fast unsichtbar gemacht. In ihrem Zimmer schlüpft sie in hellblaue Jeans und einen dicken Pullover.

»Es geht«, sagt sie zu sich selbst, als sie einen letzten Blick in den Spiegel wirft.

Jakob sitzt mit Marie auf einer Treppenstufe und grinst, als Conni über sie hinwegsteigt.

»Conni hat ein Rondeewu mit ihrem Geliebten«, flüstert er Marie zu. »Bestimmt küssen die sich auch!«

»Bäh!« Pauls kleine Schwester verzieht das Gesicht.

Conni bleibt kurz stehen. »Erstens hab ich kein Rendezvous«, stellt sie klar. »Zweitens ist Phillip nicht mein Geliebter, sondern nur ein Freund. Drittens: Nein, wir küssen uns ganz bestimmt nicht! Und viertens geht euch das überhaupt nichts an. Klar so weit?« Sie schüttelt den Kopf und geht weiter.

Jakob und Marie kichern.

»Bestimmt knutschen die!«, sagt Jakob überzeugt, aber Conni winkt nur ab. Sie verspürt keine große Lust, sich über ihren kleinen Bruder aufzuregen.

Mama und Papa sitzen im Wohnzimmer und unterhalten sich.

»Ich treff mich mit Phillip in der Stadt«, sagt Conni. »Wir wollen ein bisschen spazieren gehen.« Verlegen streicht sie sich eine lose Haarsträhne hinters Ohr.

Papa zieht die Augenbrauen hoch und will etwas sagen, aber Mama kommt ihm zuvor.

»Das ist eine gute Idee, meine Süße«, sagt sie. »Die frische Luft wird dir guttun. Grüß ihn von uns, ja?«

»Mach ich.« Conni winkt und schnappt ihr Schlüsselband vom Haken. »Bis später!«

»Und komm nicht zu spät nach Hause!«, ruft Papa ihr hinterher, aber Conni ist schon draußen.

Sie bleibt kurz im Vorgarten stehen und holt tief Luft. Der Tag ist sonnig und klar, die Luft eiskalt. Unter einem kahlen Baum sitzt eine Amsel und schimpft lautstark. Mau sitzt über ihr auf einem Ast und beäugt sie mit großem Interesse. Conni winkt ihrem Kater zu. Obwohl der Kloß in ihrem Hals sie ständig daran erinnert, was geschehen ist, spürt sie gleichzeitig, wie sehr sie sich darauf freut, Phillip zu sehen und ein bisschen Zeit mit ihm zu verbringen. So schnell sie kann, holt sie ihr rotes Mountainbike aus der Garage und radelt in Richtung Wasserturm.

***

Phillip ist schon da. Mit einem breiten Grinsen im Gesicht, die Arme vor der Brust verschränkt, lehnt er neben seinem Rennrad an einem Eisenzaun und wartet auf sie. Zu einem grob gestrickten dunkelblauen Rollkragenpulli trägt er ausgeblichene Jeans und derbe Boots.

Er sieht einfach klasse aus, stellt Conni fest, als sie ihr Rad neben ihm zum Stehen bringt. Etwas atemlos von der schnellen Fahrt sagt sie: »Hey, hoffentlich wartest du noch nicht zu lange?«

Phillip schüttelt leicht den Kopf und lächelt. »Ich freu mich, dass du gekommen bist.«

Conni spürt, dass sie unter seinem Blick rot wird. »Wollen wir unsere Räder hier stehenlassen, oder gibt's irgendwo einen Unterstand?«

Ohne etwas zu sagen, löst Phillip eine dicke Kette von seiner Sattelstange und schlingt sie mehrfach um beide Räder. Mit einem Zahlenschloss sichert er sie an dem Eisenzaun.

»Lass uns eine Runde um den Turm drehen«, sagt er. »In der Straße dahinter ist ein kleines Café.«

Conni nickt. Sie ist froh, dass er nicht vorschlägt, durch den

Stadtpark zu gehen. Sie würde es bestimmt nicht ertragen, die Brücke und den Weg wieder zu sehen, wo Annas Unfall passiert ist.

Die Hände tief in den Taschen seiner Jeans vergraben, stapft Phillip neben ihr her. Ab und zu wendet er ihr das Gesicht zu und lächelt.

Conni weiß nicht, was sie sagen soll. Unsicher lächelt sie zurück. Gleichzeitig schluckt sie krampfhaft, aber der blöde Kloß bleibt an seinem Platz.

Fang bloß nicht an zu heulen!, schimpft sie mit sich selbst.

Vor Phillips Mund bilden sich kleine Atemwölkchen. Er zieht den Kragen seines Pullis ein Stück höher. »Ganz schön frisch heute, was?«, brummt er.

»Mhm«, macht Conni und zieht die Schultern hoch.

»Ist dir kalt?«, fragt Phillip.

»Es geht.«

Eine Weile gehen sie schweigend nebeneinanderher. Sie sind die einzigen Spaziergänger, die den verschlungenen Pfaden rund um den alten Wasserturm folgen. Als der Weg schmal wird, berühren sich ihre Arme. Conni zuckt zurück, als hätte sie einen elektrischen Schlag bekommen.

Blöde Kuh!, schimpft sie mit sich selbst.

Als der Weg sich gabelt, zeigt Phillip auf ein altes Backsteinhaus. Auf einem Schild davor steht in verschnörkelten Buchstaben »Café am alten Wasserturm«.

»Da gibt's was zum Aufwärmen«, sagt er. »Und hausgemachten Apfelkuchen.« Er zwinkert Conni zu, als er ihr die Tür aufhält und hinter ihr das gemütliche kleine Café betritt. »Du siehst aus, als könntest du eine kleine Stärkung vertragen.«

Sie setzen sich an einen runden Tisch am Fenster. Außer ihnen sind kaum Gäste da. Die Bedienung kommt sofort. Während sie das kleine Windlicht anzündet, das in der Mitte des Tisches steht, bestellen Conni und Phillip zweimal heiße Schokolade mit Sahne und Apfelkuchen.

Conni legt beide Hände auf den Tisch. Es ist warm im Café, und schon bald fangen ihre Wangen an zu glühen. Sie betrachtet die flackernde Kerze in dem gläsernen Windlicht.

»Woher weißt du das mit Anna?«, fragt sie.

»Mark hat Paul angerufen, und der mich.« Phillip zieht seinen dicken Pulli aus. Darunter trägt er ein helles T-Shirt. »Wusstest du, dass Anna gestern mit Mark verabredet war?«

»Was?« Conni runzelt die Stirn. »Wie kommst du darauf?«

»Mark war im Park. Er war mit Anna an der Brücke am Ententeich verabredet.« Phillip legt seine Hand um das Windlicht und dreht es langsam hin und her. »Er hat alles mit angesehen.«

»Aber das kann nicht sein!«, sagt Conni. »Anna war mit einem Jungen aus dem Internet verabredet. Er heißt ...« Plötzlich erinnert sie sich, dass Billi Mark im Park gesehen hat. Es stimmt, er war da. Aber doch nicht, um sich mit Anna zu treffen!

»Nein!«, sie schüttelt den Kopf. »Das muss ein Irrtum sein!«

Die Kellnerin kommt und stellt zwei dampfende Becher Kakao und zwei große Stücke Apfelkuchen auf den Tisch. Phillip nimmt seinen Löffel und schöpft das Sahnehäubchen ab.

»Anna und Mark haben sich in einem Chat kennengelernt, stimmt's?«, fragt er. »Allerdings ohne zu wissen, wer wirklich hinter den Nicknamen steckt. Mark hat es im Laufe der Zeit herausgefunden. Anna hat ihm wohl ziemlich viel von sich erzählt. Es kam ihm unfair vor, dass er wusste, wer sie ist, sie umgekehrt aber nicht. Er wollte sich mit ihr treffen, um das Geheimnis zu lüften.«

»Im Park«, sagt Conni atemlos. »Auf der Entenbrücke!«

Phillip nickt und schiebt sich den Sahneberg in den Mund. »Hm, lecker«, schwärmt er. »Musst du probieren.«

Mechanisch stippt Conni ihren Löffel in die Sahne und leckt ihn ab. Sie starrt Phillip an. »Mark ist Moonwalker?«

Wieder nickt Phillip. »Und Anna ist Anna Montana. Mark hat Paul alles erzählt. Paul meint, es hätte ihn voll erwischt.«

»Wen?«, fragt Conni. »Was?«

»Mark. Er ist in Anna verknallt.« Phillip grinst. »Eigentlich war er's schon vorher, aber Anna hat ihn voll ignoriert. Als er sie dann in diesem Chat getroffen hat, dachte er, dass das seine große Chance ist.« Er lacht leise und greift zur Gabel, um sie in dem Apfelkuchen zu versenken. »Boah, der ist noch warm! Schmeckt wie bei meiner Oma!«

Conni stochert in ihrem Kuchen herum und probiert ein kleines Stück. Er ist wirklich lecker, aber irgendwie fehlt ihr die nötige Konzentration, um das richtig zu genießen.

Mark ist Moonwalker, summt es in ihrem Kopf. Das ist einfach unglaublich! »Arme Anna!«, sagt sie laut.

»Wieso?«, mümmelt Phillip. Er hat seinen Kuchen restlos verputzt und schielt auf Connis Teller. »Was ist so schlimm daran, dass Mark sie mag?«

»Nichts«, sagt Conni schnell. »Es ist nur …«, mühsam sucht sie nach den richtigen Worten. »Es ist nur so, dass Anna sich in einen anderen Jungen verliebt hat. Sie hat sich in Moonwalker verliebt, nicht in Mark!«

»Aber Moonwalker ist Mark.« Phillip zuckt mit den Schultern. »Die Namen sind austauschbar, der Typ dahinter ist derselbe. Und wenn die Liebe auf Gegenseitigkeit beruht, ist doch alles paletti, oder? Wo ist das Problem?«

Conni rauft sich die Haare. Meine Güte, ist das kompliziert!

»Willst du deinen Kuchen nicht aufessen?« Phillips Blick wandert begehrlich über den angebissenen Apfelkuchen auf ihrem Teller.

»Du hast den gleichen Blick drauf wie Mau, wenn er bettelt«, kichert Conni und schiebt ihm den Teller hin. »Bedien dich.«

»Miau«, macht Phillip. »Danke!«

Als nur noch vereinzelte Krümel übrig sind, streicht er sich zufrieden über den Bauch. »Hmm, das war genau das Richtige. Noch einen Kakao?«

»Nee, danke.« Conni schlürft den Rest ihrer süßen Schokolade und denkt darüber nach, wie sie Anna die Neuigkeit möglichst schonend beibringen soll.

Phillip beugt sich vor und fragt: »Woran denkst du gerade?«

»An Anna.« Conni stellt den Becher ab.

Dann erzählt sie Phillip, was im Park passiert ist und wie es zu dem Streit zwischen ihr und Anna gekommen ist. Er hört aufmerksam zu.

»Du glaubst also, dass Anna euch die Schuld an dem Unfall gibt?«, fragt Phillip ungläubig, als sie fertig ist. »Und dass sie euch deshalb nicht mehr sehen will?«

Conni starrt in die helle Kerzenflamme und nickt.

»Mach dich doch nicht so verrückt«, sagt Phillip. »Du kannst nichts für den Unfall. Paul hat erzählt, dass Mark sich auch Vorwürfe macht. Ganz schön viele Verantwortliche, was? Aber wenn überhaupt jemandem ein Vorwurf zu machen ist, dann den Radfahrern, weil sie zu schnell waren. Oder Anna selbst, weil sie blindlings davongestürzt ist und nicht besser aufgepasst hat. Aber weder du noch Billi noch Dina noch Mark könnt etwas dafür. Hör also auf mit diesen blöden Selbstvorwürfen.«

Conni muss schlucken. Es gelingt ihr einfach nicht, den Blick von der Kerze zu nehmen. Als sie es endlich doch schafft, blickt sie direkt in Phillips Augen. Sie sind dunkelbraun, fast schwarz, stellt sie wieder einmal fest, mit winzigen goldenen Sprenkeln darin.

Sie sehen aus wie kleine funkelnde Sterne, denkt Conni.

Leise sagt sie: »Okay, ich versprech's.«

»Gut«, hört sie Phillip wie aus weiter Ferne sagen. »Du solltest Anna morgen im Krankenhaus besuchen und ihr alles erklären. Bestimmt versteht sie dich.«

»Ja, wahrscheinlich hast du Recht.« Conni seufzt.

Phillip lächelt sein spezielles Phillip-Lächeln. »Alles wird gut«, sagt er leise. »Glaub mir.«

Ganz kurz berühren sich ihre Fingerspitzen. Am liebsten würde Conni ihre Hand wegziehen, aber dann lässt sie sie liegen. Phillips Hand ist warm, als er ihre Hand in seine nimmt. Es fühlt sich ein bisschen an wie in jener Nacht im Zeltlager. Auch damals hat Phillip ihre Hand gehalten und ihr so ihre Angst genommen.

Wie macht er das nur?, staunt Conni und spürt, wie der Kloß in ihrem Hals kleiner und kleiner wird und schließlich ganz verschwindet.

Sie bezahlen und verlassen das Café.

»Was ist mit Mark?«, fragt Conni. »Will er Anna nicht besuchen und ihr alles beichten? Ich glaub, es wäre besser, wenn sie es von ihm erfährt und nicht von mir.«

»Stimmt.« Phillip reibt sich das Kinn. »Ich sprech heute Abend mit ihm. Kümmere du dich nur um Anna und dass ihr euch wieder vertragt. Den Rest erledige ich.«

»Danke«, sagt Conni.

»Wofür?« Phillip hebt eine Augenbraue.

»Für alles.«

Phillip macht einen Schritt auf sie zu. Er ist ein ganzes Stück größer als sie, stellt Conni fest, als er sie in den Arm nimmt.

Wenn er mich jetzt küsst, sterbe ich, denkt sie und kneift die Augen zu.

Aber Phillip küsst sie nicht. Er hält sie nur ganz fest im Arm, fast so, als wollte er sie nie wieder loslassen.

»Pass gut auf dich auf«, sagt er schließlich. »Ich ruf dich morgen an, okay? Und nicht vergessen: Alles wird gut.« Winkend fährt er davon.

Conni bleibt stehen.

Was war das denn gerade?, denkt sie verwirrt und schwingt sich auf ihr Rad. Gut, dass Jakob das nicht gesehen hat!

Ihre Knie zittern leicht, als sie sich auf den Nachhauseweg macht, aber auf ihrem Gesicht liegt ein breites Grinsen.

»Welches Zimmer ist es denn?« Billi reckt den Hals, aber in dem langen Krankenhausflur sehen alle Türen gleich aus.

»Zimmer 320, ganz am Ende«, sagt Dina. Sie hält einen kleinen Blumenstrauß in der Hand und zeigt ans andere Ende des Flurs.

Conni folgt den beiden. Ihr Herz klopft vor Aufregung, und sie fragt sich, ob ihr Entschluss, Billi und Dina zu begleiten, wirklich so eine gute Idee war.

Je näher sie Annas Zimmer kommen, umso mehr verspürt sie den Drang, sich einfach umzudrehen und wegzulaufen.

Auf der Herfahrt war keine Gelegenheit, Billi und Dina von Mark und Moonwalker zu erzählen. Erst im Fahrstuhl des Krankenhauses hat sie den beiden das ganze Drama in Kurzversion geschildert.

Dina wollte es zuerst nicht glauben, aber Billi hat nur gegrinst und »Echt wahr? Ist ja cool!« gesagt.

Ob Anna es allerdings auch so cool aufnimmt, daran hat Conni so ihre Zweifel. Aber vielleicht hat Phillip ja inzwischen schon mit Mark gesprochen, und der hat Anna alles gebeichtet? Schön wär's, denkt sie.

Als Billi anklopft und vorsichtig die Tür öffnet, zieht Conni den Kopf ein und macht sich vorsichtshalber auf tieffliegende Kissen gefasst, die Anna ihnen entgegenschleudern könnte. Aber alles bleibt friedlich.

Das Erste, was Conni sieht, ist eine pinkfarbene Gipsschiene, aus der fröhlich wackelnde Zehen hervorgucken. Das Zweite ist ein riesiger herzförmiger Luftballon, ebenfalls in Pink, der über Annas Bett hängt. In weißer Farbe ist, neben unzähligen kleinen Herzchen und Sternchen, »Für Anna Montana von Moonwalker« aufgedruckt.

Conni bleibt fast die Spucke weg. Ach herrje! Heißt das etwa, Mark war schon da? Prompt bekommt sie einen Hustenanfall. Billi klopft ihr hilfsbereit auf den Rücken.

»Nun kommt endlich rein!«, ruft Anna kichernd. Sie liegt in ihrem Bett am Fenster, das geschiente Bein leicht erhöht auf einem Kissen, und strahlt übers ganze Gesicht. »Ich dachte schon, ihr kommt gar nicht mehr!«

Conni hat es inzwischen geschafft, wieder normal zu atmen, und staunt. Keine fliegenden Kissen? Kein Wutausbruch? Keine Vorwürfe? Sie grinst. Vielleicht bekommt Anna ja Medikamente mit beruhigender Wirkung.

Dina überreicht Anna die Blumen und ein kleines Manga. Billi hat Schokolade mitgebracht. Conni zieht ein Taschenbuch aus ihrer Jeans und legt es auf Annas Nachttisch.

»Du siehst gut aus«, stellt Dina fest.

»Besser als vorgestern auf jeden Fall«, grinst Billi.

Es stimmt, Anna wirkt putzmunter in ihrem geblümten Schlafanzug. Neben der auffälligen Gipsschiene, die bis ans Knie mit einem Verband umwickelt ist, ziert nur ein breites Pflaster ihre Stirn.

Conni atmet erleichtert auf. Ganz kurz hatte sie befürchtet, dass Anna an irgendwelchen Schläuchen oder piepsenden Gerätschaften hängen könnte. Sie so zu sehen, fast als wäre nichts geschehen, ist wirklich toll!

»Hallo, Anna!«, sagt sie und umarmt die Freundin vorsichtig.

In Annas Augen glitzert es verdächtig. »Bist du noch sauer auf mich?«, fragt sie leise.

»Ich?«, flüstert Conni zurück. »Kein bisschen! Aber ich dachte, du …« Sie guckt Anna an. Anna grinst. Und dann lachen sie gleichzeitig los.

Billi und Dina gucken sich an. Billi lässt einen Finger in Schläfenhöhe rotieren.

»Gehirnerschütterung«, sagt sie trocken. »Da flippt man manchmal aus.«

Als Conni und Anna sich wieder beruhigt haben, hocken die Freundinnen sich nebeneinander aufs Bett. Es ist ein bisschen eng, aber trotzdem gemütlich – soweit ein Krankenhauszimmer gemütlich sein kann.

Die beiden anderen Betten im Zimmer sind leer und frisch bezogen.

»Die anderen durften heute nach Hause«, seufzt Anna. »Die haben's gut.«

»Und wann wirst du entlassen?«, fragt Dina.

Anna zuckt mit den Schultern. »Keine Ahnung. Wenn alles gutgeht, nächste Woche. Mein Knöchel muss noch mal geröntgt werden. Zum Glück ist er nur angebrochen, aber bis die Schwellung weg ist, muss die Schiene dranbleiben. Erst wenn alles abgeschwollen und gut verheilt ist, bekomme ich einen Gehgips. Natürlich auch in Pink«, fügt sie grinsend hinzu.

»Cool, oder? Ihr könnt gleich auf der Schiene unterschreiben und was draufmalen!«

»Und was macht dein Kopf?«, fragt Conni. »Tut er sehr weh?«

»Nö, eigentlich nicht«, meint Anna. »Ich darf ihn nur nicht schütteln oder ruckartig bewegen.«

»Hauptsache, du bist rechtzeitig zur Unterstufenparty wieder fit«, meint Billi.

»Keine Sorge, die lass ich mir bestimmt nicht entgehen«, lacht Anna. »Zur Not lass ich mich hintragen!«

Dina bewundert die bunten Blumensträuße auf der Fensterbank. »Von wem sind die denn?«

»Einer ist von meinen Eltern, einer von den Radfahrern und der dritte ...«, Anna kichert. »Dreimal dürft ihr raten!«

»Was?« Billi springt auf. »Er hat dir Blumen mitgebracht?«

»Nicht mitgebracht«, korrigiert Anna sie, »sondern geschickt. Zusammen mit dem Luftballon und einer Karte.« Ihr Gesicht nimmt einen zartrosa Farbton an. »Ist das nicht romantisch?«

»Oh ja«, sagt Conni gedehnt. »Das ist sogar sehr romantisch.«

»Er hat geschrieben, dass er mich heute besuchen will«, sagt Anna aufgeregt. Sie fährt sich durchs Haar. »Seh ich gut aus? Kann ich den Schlafanzug anbehalten, oder ist der zu kindisch? Was meint ihr?« Ihre Wangen bekommen rote Flecken. Das weiße Pflaster leuchtet auf ihrer Stirn.

Conni bekommt einen neuen Hustenanfall. »Du meinst ... Moonwalker ... er will dich besuchen?«, würgt sie krächzend hervor. »Heute!?«

Anna nickt glücklich. »Ja, total süß, nicht?«

»Aber woher weiß er, dass du im Krankenhaus liegst?« Billi runzelt die Stirn.

»Einer der Stationsärzte hat mir gestern Abend sein Laptop geliehen, damit ich meine E-Mails checken kann«, erklärt Anna. Sie zwinkert Conni zu. »Danke auch für deine.«

Conni zwinkert angestrengt zurück. »Gern geschehen.«

»Ja, und?«, drängelt Billi.

Anna rollt mit den Augen. »Ich hab ihm natürlich eine Mail geschickt, dass ich einen Unfall hatte und im Krankenhaus liege und deshalb nicht zu unserem Treffpunkt kommen konnte. Daraufhin hat er heute Morgen die Blumen und den Luftballon geschickt.« Sie gibt dem Herzballon einen kleinen Stups.

»Mir hat noch nie ein Junge einen Luftballon geschenkt!«

»Mir auch nicht«, sagt Conni schwach. »Wann kommt er denn?« Die Vorstellung, dass Mark in ihre Mädchenrunde platzen könnte, behagt ihr gar nicht.

»Och, irgendwann gegen Abend«, meint Anna. »So genau konnte er es noch nicht sagen.«

Puh! Conni atmet hörbar aus.

»Ist was?«, will Billi wissen.

»Nein, nein«, winkt Conni ab. »Alles in bester Ordnung.«

Anna zieht einen kleinen Briefumschlag aus ihrer Nachttischschublade. »Er hat mir ein Foto von sich geschickt«, verkündet sie, geheimnisvoll lächelnd.

Zum dritten Mal verschluckt Conni sich.

»Wer?«, fragt Dina.

»Moonwalker«, sagt Anna. »Wer sonst?«

Dina starrt Billi an, Billi starrt Conni an.

»Das ist ja romantisch«, würgt die röchelnd hervor. »Toll!«

»Meine Güte!« Anna schüttelt den Kopf. »Hast du dich erkältet? Trink doch mal einen Schluck Wasser!«

»Gute Idee!« Conni sprintet ins Badezimmer und lässt Wasser in ein Zahnputzglas laufen. Hastig trinkt sie es aus. »Ein Foto!«, sagt sie zu ihrem Spiegelbild. »Das gibt's doch gar nicht!«

Fragt sich nur, wessen Foto Mark geschickt hat, überlegt sie, als sie ins Zimmer zurückkehrt. Sein eigenes bestimmt nicht.

»Ist er nicht süß?«, hört sie Anna sagen.

»Das hätte ich ihm gar nicht zugetraut«, murmelt Dina.

»Ich schon.« Billi kichert.

Die drei beugen sich über ein kleines Foto in Annas Hand.

»Seht mal die süßen Augen«, schwärmt Anna. »Und das Grübchen in der linken Wange.«

Dina nimmt ihr das Foto ab. »Richtig niedlich!«

»Nicht übel«, stimmt Billi ihr zu.

Conni stutzt. Was hat das jetzt zu bedeuten?

»Willst du auch mal gucken?« Anna winkt mit dem Foto. Conni erkennt Marks Gesicht.

»A-aber, d-das ist ja …«, stottert sie.

»Mark!«, ruft Anna. »Stimmt genau!« Sie reicht Conni das Foto. »Er hat mir gestanden, dass er mich schon länger gut findet, aber sich nicht getraut hat, es mir zu sagen. Dass wir uns dann ausgerechnet in einem Chat getroffen haben, war wohl so was wie Schicksal, meint er.«

»Aber warum hat er sich nicht gleich zu erkennen gegeben?«, fragt Billi.

»Er hatte Angst, dass ich dann vielleicht nichts mehr mit ihm zu tun haben wollte«, sagt Anna. »Dabei hat er die ganze Zeit nicht mal gelogen. Alles, was er mir als Moonwalker geschrieben hat, passt im Nachhinein haargenau auf Mark. Ich war nur zu blöd, um es zu erkennen!«

»Du bist nicht sauer auf ihn?«, staunt Conni.

»Wieso denn?« Anna lacht. »Er wollte es mir vorgestern im Park sagen. Dass es nicht dazu gekommen ist, war Pech. Mark ist total sauer auf die blöden Radfahrer. Er wollte mich nämlich ins Kino einladen. Er hatte sogar schon die Karten!«

Billi grinst. »Und? Magst du ihn?«

Annas Wangen glühen, als sie nickt. »Ich glaub schon, irgendwie.«

»Dabei hast du neulich noch gesagt, dass du die Jungs in unserer Klasse unreif findest«, lacht Dina.

»Das bezog sich auf die meisten«, erwidert Anna. »Aber doch nicht auf alle.«

»Na, dann: Herzlichen Glückwunsch!« Billi zückt einen Filzstift und malt ein Herz auf Annas Gipsschiene. »Moonwalker and Anna Montana forever«, schreibt sie darunter.

Anna verzieht das Gesicht. »Ist das nicht ein bisschen peinlich, wenn er nachher kommt und das liest?«

»Leg einfach die Decke drüber«, schlägt Conni vor. »Nächste Woche bekommst du doch sowieso einen neuen Gips.«

Alle lachen, auch Anna.

»Hört auf!«, japst sie schließlich und hält sich den Kopf. »Ich muss geschont werden!«

***

Glücklich wie lange nicht mehr, liegt Conni abends mit ihrem Tagebuch auf dem Bett. Mau kuschelt sich eng an sie und schnurrt behaglich. Mit einem Lächeln im Gesicht fängt Conni an zu schreiben:

Ich bin so froh! ☺ Anna geht es gut.
Wahrscheinlich darf sie schon bald
nach Hause. Zur Fete kommt sie auf
jeden Fall. Wäre auch blöd, wenn nicht.
Wenn Anna nicht dabei ist, macht
nämlich alles nur halb so viel Spaß!
Dass sie unseren Streit und den Unfall
so cool abhakt, hätte ich niemals
gedacht. Ob das damit zusammenhängt,
dass sie frisch verliebt ist? Vielleicht
hat man dann einfach supergute
Laune, egal was passiert.
Dass es zwischen ihr und Mark
gefunkt hat, find ich klasse!
Ich glaub, die beiden passen echt gut
zusammen. Auch dass Anna nicht
auf Mark sauer ist, ist cool. Aber
warum auch? Er hat es ja nicht schlecht
gemeint. Er hat sich nur nicht getraut,
Anna die Wahrheit zu sagen. Warum
eigentlich nicht? Jemandem, den man
mag, kann man das doch ruhig sagen,
oder?

Conni hält inne. Ist das wirklich so einfach? Nachdenklich knabbert sie an ihrem Stift und denkt an Phillip. Seit dem Juca passiert es ziemlich oft, dass sie an ihn denkt. Und seit dem Nachmittag im Café noch öfter. Warum er sie wohl in den Arm genommen hat? Nur um sie zu trösten? Oder steckt doch ein bisschen mehr dahinter? Aber warum hat er sie dann nicht geküsst?

Vielleicht hat er genauso viel Angst davor wie ich, überlegt sie. Ob er überhaupt schon mal ein Mädchen geküsst hat? Nicht hier in Neustadt, sondern vielleicht in Namibia, wo er vorher gewohnt hat?

Plötzlich setzt Conni sich kerzengerade hin. Sie spürt einen kleinen Stich in der Herzgegend.

Na klar, denkt sie. Phillip hat bestimmt schon mal ein Mädchen geküsst! Schließlich ist er ein Jahr älter, sieht klasse aus und wirkt auch sonst schon ziemlich erwachsen.

»Oh, Mann«, stöhnt Conni. »Warum muss das mit der Liebe eigentlich so kompliziert sein?« Sie streichelt Mau übers Fell. »Du hast es gut, du bist eine Katze. Oder verlieben sich Katzen auch manchmal?«

Mau betrachtet sie aus schmalen Augen und maunzt leise.

»Du hast Recht«, seufzt Conni. »Warum auch nicht?«

Sie versucht, jeden weiteren Gedanken an Phillip zu verdrängen, und schreibt weiter, obwohl sie sich nicht mehr so richtig konzentrieren kann. Aber dann fällt ihr ein, was in den nächsten Tagen noch alles zu tun ist. Und das ist eine ganze Menge. Die Eintritts- und Getränkekarten sind zum Glück fertig, aber im Kunstunterricht müssen sie sich unbedingt noch um die Deko kümmern. Die Plakate müssen gemalt und in der Schule aufgehängt werden, während die Jungs im Werkraum die Bar zusammenbauen und die Beleuchtung anschließen.

Und dann müssen Billi, Dina und ich auch noch unsere T-Shirts stylen, überlegt Conni. Und uns Frisuren ausdenken und tanzen üben. Für Anna fällt das Tanzen ja leider aus. Oder geht das auch mit Gipsbein?

Sie ist schon total aufgeregt, wenn sie nur an die Fete denkt, oh, Mann! Was soll sie nur tun, wenn Phillip mit ihr tanzen will?

Ich sterbe, ist Conni überzeugt. Garantiert! Oder ich lauf weg, geh aufs Klo oder nach Hause. Irgendwas wird mir schon einfallen.

Dann überlegt sie, ob sie es nicht einfach mal ausprobieren soll, um herauszufinden, wie es ist, mit einem Jungen zu tanzen. Bestimmt muss ich die ganze Zeit lachen, denkt Conni und kichert. Oder ich trete ihm auf die Füße und stolpere. Irgendwas Schreckliches wird passieren, ganz bestimmt!

Zum Glück sind Anna, Billi und Dina bei mir. Die haben auch noch nie mit einem Jungen getanzt.

Conni ist gespannt, wer von ihnen sich wohl zuerst traut, dann klappt sie ihr Tagebuch zu und legt es zurück. Mama hat zum Abendessen gerufen.

Zum ersten Mal seit Annas Unfall hat Conni wieder richtig Appetit. Sie springt so schwungvoll vom Bett, dass Mau erschrocken protestiert.

»Komm, du fauler Kater«, sagt Conni zu ihm. »Unten gibt's Futter. Los, wer zuerst in der Küche ist!«

Am Montagmorgen stecken Conni, Billi und Dina in der Schule die Köpfe zusammen und tuscheln. Mark ist noch nicht da. Sein Platz neben Paul ist leer. Conni wirft einen Blick in Phillips Richtung, aber der ist mit Paul in ein Gespräch vertieft und zwinkert ihr nur kurz zu.

»Ich kann es immer noch nicht fassen, dass Mark Moonwalker ist!« Conni senkt die Stimme zu einem Flüstern. Janette spaziert betont langsam zwischen den Bankreihen hindurch und macht ein neugieriges Gesicht.

»Aber ich find's cool, dass er sich getraut hat, Anna die Wahrheit zu sagen«, sagt Billi.

Conni und Dina nicken. Das war wirklich mutig von ihm.

»Und noch cooler ist, dass Anna sich in ihn verknallt hat«, meint Dina. »Jetzt haben wir ein richtiges Liebespärchen in unserer Klasse!«

Liebespärchen? Janette spitzt die Ohren und bleibt stehen.

Zum Glück betritt in diesem Augenblick Frau Lindmann das Klassenzimmer, und Janette huscht schnell auf ihren Platz. Kurz bevor Frau Lindmann die Tür schließt, schlüpft Mark hindurch. Mit hochrotem Kopf murmelt er der Klassenlehrerin eine Entschuldigung zu und schiebt sich in die hintere

Bankreihe. Conni, Billi und Dina stupsen sich an und kichern leise.

»Es tut mir leid, wenn ich eure Begeisterung für das Unterstufenfest ein wenig dämpfen muss«, sagt Frau Lindmann und stellt ihre Aktentasche auf das Pult, »aber wir haben eine anstrengende Woche vor uns.« Sie mustert die Klasse über den Rand ihrer Lesebrille. »Bitte notiert euch, dass wir am Mittwoch Mathe und am Freitag Englisch schreiben.«

Durch die Reihen läuft ein lautes Murren.

»Muss das sein?«, beschwert sich Paul. »Wir schreiben morgen schon Bio!«

»Ich weiß«, erwidert Frau Lindmann ungerührt. Sie dreht sich um und schreibt die Themen der Klassenarbeiten an die Tafel. »Da wir keine Übungsarbeiten mehr schreiben, würde ich vorschlagen, dass ihr euch den Stoff der letzten Wochen noch einmal gründlich vornehmt. Prozent- und Zinsrechnung in Mathe, Form und Gebrauch des Passivs in Englisch. Noch Fragen?«

Phillip meldet sich. »Darf ich heute früher gehen und nie mehr wiederkommen?«, fragt er.

Alle lachen. Sogar Frau Lindmann schmunzelt.

»Ich würde mich freuen, wenn du uns weiterhin Gesellschaft leistest«, sagt sie. Dann zieht sie einen Stapel Arbeitsblätter aus ihrer Aktentasche und fängt an, sie zu verteilen. Bei Conni bleibt sie stehen. »Annas Vater hat mich angerufen und mir von ihrem Unfall erzählt. Sie wird in der nächsten Zeit nicht am Unterricht teilnehmen können. Wärst du so lieb, ihr die Arbeitsblätter ins Krankenhaus mitzunehmen? Du besuchst sie doch sicher.«

Conni nickt. »Ja, klar. Mach ich gern.«

Frau Lindmann legt den Extrastapel Blätter auf Connis Tisch.

»Das sind die Hausaufgaben und Übungen der Hauptfächer für diese Woche. Bitte richte Anna schöne Grüße von mir aus. Sie muss natürlich nicht alles auf einmal machen, aber es wäre schön, wenn sie auf dem Laufenden bliebe. Was sie versäumt, kann sie in Ruhe nachholen, wenn sie wieder ganz gesund ist.«

»Okay«, meint Conni. »Ich sag's ihr.«

Als sie sich zu ihrem Rucksack beugt, um die Zettel darin zu verstauen, fängt sie Marks Blick auf. Er lächelt verlegen. Conni lächelt zurück.

Billi hat den kurzen Blickwechsel bemerkt und grinst.

»Eigentlich könnte er Anna die Zettel doch bringen«, raunt sie Conni zu.

»Woher soll der Lindwurm das wissen?«, raunt Conni zurück.

»Stimmt«, murmelt Billi.

»Conni, komm bitte an die Tafel«, schnarrt Frau Lindmann. »Ihr anderen schreibt Aufgabe 7 von Seite 64 bitte ins Heft.«

Mit weichen Knien bahnt Conni sich einen Weg nach vorn. Prozent- und Zinsrechnung ist nicht gerade ihre Stärke.

Sie nimmt ein Stückchen Kreide in die Hand und schreibt die Aufgabe an die Tafel: »Ein Sparer hat ein Sparbuch mit 1590 Euro, die zu drei Prozent verzinst werden. Auf welchen Betrag wächst das Geld nach sechs Monaten an?«

Du liebe Güte!, denkt Conni und schluckt. Woher soll ich das denn wissen?

Als es zur Pause gongt, hat sie die Aufgabe mit Hilfe der Klasse gelöst. Aufatmend wischt sie sich den Kreidestaub von den Fingern und lässt sich auf ihren Stuhl fallen.

»Sieh dir die Zinsformeln bis übermorgen noch einmal genau an«, sagt Frau Lindmann. »Die müssen im Schlaf sitzen.«

Conni nickt. Ob sich bis Mittwoch nicht noch ein netter kleiner Virus finden lässt, denkt sie, der verhindert, dass ich die Arbeit mitschreiben muss? Schön wär's!

In der Pause sitzt sie mit Dina und Billi auf einer Bank und schlürft Kakao. Janette und ihre Zickenfreundinnen Ariane und Saskia schlendern vorbei.

Janette bleibt stehen. »Na, überlegt ihr gerade, ob ihr wirklich zu unserer Fete kommen wollt? So, wie ihr rumlauft, kriegt ihr doch sowieso keinen Typen ab.« Sie zieht die Augenbrauen hoch und lacht. »Oder wollt ihr drei etwa zusammen tanzen?«

Saskia und Ariane kichern boshaft.

Billi zeigt ihnen einen Vogel. »Blast euch bloß nicht so auf, ihr Puten. Wir werden ja sehen, wer einen Typen abkriegt und wer nicht.«

»Du ganz bestimmt nicht, du Zwerg!«, faucht Janette und geht weiter.

»Blöde Tussis«, brummt Billi.

»Ach, lass dich doch von denen nicht ärgern«, meint Conni. »Die wollen uns doch nur provozieren.«

»Hoffentlich kommen die im nächsten Schuljahr in eine andere Klasse«, sagt Dina hoffnungsvoll. »Ich nehm in der Siebten freiwillig Latein, wenn die Französisch wählen!«

»Ich nehm sowieso Latein«, sagt Billi. »Das steht schon fest. Schließlich will ich Biologin oder Tierärztin werden, da braucht man das.«

»Bis wann müssen wir uns eigentlich für eine zweite Fremdsprache entscheiden?«, fragt Conni.

»Bis zu den nächsten Sommerferien, glaub ich. Ist also noch ein bisschen Zeit.« Es gongt. Billi steht auf und streckt sich.

»Kommt, ihr Faultiere. Auf in den Kunstraum!«

Dina verputzt den letzten Bissen ihres Pausenbrots und grinst. »Endlich mal was Kreatives!«

Conni rollt mit den Augen. »Ob zwei Stunden Plakatemalen wirklich so kreativ ist?«

»Klar«, meint Dina. »Wirst du schon sehen.«

Als Conni nach Schulschluss zum Fahrradunterstand geht, sind ihre Hände in verschiedenen bunten Farbtönen gesprenkelt. Sogar ihr Lieblingssweatshirt hat etwas abgekriegt.

Hoffentlich geht die Plakatfarbe wieder raus, denkt sie, als sie ihr Rad aufschließt. Aber wenigstens haben wir tolle Poster für unsere Disko gepinselt. Die werden bestimmt die Hingucker des Abends.

»Hey, Conni«, sagt plötzlich eine Stimme hinter ihr.

Conni fährt erschrocken herum.

Phillip grinst sie an. »Sorry, ich wollte dich nicht erschrecken.«

»Hast du gar nicht«, sagt Conni schnell. Sie spürt, dass sie rot wird, und beugt sich über ihren Gepäckträger.

Phillip schiebt sein Rennrad aus dem Ständer. »Wollen wir ein Stück zusammen fahren?«

Conni schluckt. »Ähm, klar. Warum nicht?« Sie streicht sich eine widerspenstige Haarsträhne aus der Stirn. Sonst fährt sie zwar immer mit Paul nach Hause, aber von dem ist weit und breit nichts zu sehen.

Phillip schwingt sich schon in den Sattel und fährt ein paar Kreise, während Conni sich mit ihrem Rucksack abmüht.

Jedes Mal wenn sie aufsteigen will, rutscht ihr der linke Riemen von der Schulter.

So was Blödes!, flucht sie in Gedanken. Der ist doch sonst nicht so widerspenstig. Ist ja peinlich!

»Hast du heute schon was vor?«, fragt Phillip beiläufig, als Conni ihren Rucksack endlich gebändigt hat und neben ihm über den Radweg rollt.

»Ja, ich fahr zu Anna. Und anschließend muss ich Mathe üben.« Sie grinst gequält. »Sonst reißt mir der Lindwurm am Mittwoch den Kopf ab.«

»Das wäre aber sehr schade.« Phillip grinst.

Conni blickt geradeaus. Sie sagt lieber nichts.

Zum Glück wechselt Phillip das Thema. »Mark hat mir erzählt, dass er gestern bei Anna war. Die beiden scheinen sich ja echt gut zu verstehen, trotz der merkwürdigen Umstände, unter denen sie sich kennengelernt haben.«

Conni hält an einer roten Ampel. »So merkwürdig war das doch eigentlich gar nicht«, erwidert sie. »Ich glaub, ziemlich viele Menschen lernen sich durchs Internet kennen, oder?«

»Stimmt schon«, gibt Phillip zu. »Aber komisch ist es trotzdem. Für mich wär das jedenfalls nichts.«

Conni wirft ihm einen belustigten Seitenblick zu. »Dann bist du aber ziemlich altmodisch.«

»Bin ich auch«, antwortet er todernst. »Ziemlich altmodisch und hoffnungslos romantisch.«

Ach herrje! Conni ist froh, als die Ampel auf Grün springt. Sie biegt ab und dreht sich noch einmal im Sattel um.

»Tschüs, bis morgen!«, ruft sie Phillip zu.

Der winkt zum Abschied. »Ciao, mach's gut!«

Conni merkt nicht, dass er ihr noch lange hinterhersieht, bis er schließlich weiterfährt.

Zu Hause steht schon das Essen auf dem Tisch.

»Nudelauflauf! Lecker!« Conni türmt sich einen Berg Nudeln auf den Teller und schiebt Jakob die Auflaufform hin.

»Ich bring Jakob gleich zum Turnen und fahre dann noch mal in die Praxis«, sagt Mama. »Ich kann dich mitnehmen, wenn du willst, und an der Klinik rauslassen.«

»Spitze«, mümmelt Conni. »Zurück kann ich ja dann den Bus nehmen.«

»Kommen Billi und Dina auch in die Klinik?«

»Nein.« Conni schüttelt den Kopf. »Die haben leider schon was anderes vor.«

Sie beeilt sich mit dem Essen und erledigt im Nu die Hausaufgaben. Dann packt sie die Aufgabenzettel für Anna zusammen und lässt das Mathebuch aufgeschlagen auf dem Schreibtisch liegen.

Als Jakob ruft, flitzt sie nach unten und schnappt sich ihre Jacke. »Von mir aus kann's losgehen!«

Den Weg zu Annas Zimmer kennt sie noch. Mit dem Lift fährt sie in den dritten Stock und will gerade in den Gang nach links einbiegen, als sie abrupt stehen bleibt.

»Aber das ist ja —«

Sie versteckt sich hinter einem Tablettwagen und späht um die Ecke. Grinsend beendet sie ihren Satz: »Unglaublich!«

Ein paar Meter von ihr entfernt schiebt ein Junge einen Rollstuhl langsam den Flur entlang. Sogar von hinten sieht Conni sofort, dass es Mark ist. Sie erkennt ihn an seiner Steppjacke, die er auch in der Schule trägt.

Es erstaunt Conni nicht im Geringsten, dass das Mädchen, das lachend im Rollstuhl sitzt und sich von ihm chauffieren lässt, eine pinkfarbene Gipsschiene hat.

Conni grinst breit. »Ich glaub, ich komm später noch mal wieder«, murmelt sie. Sie klemmt sich die Aufgabenzettel unter den Arm und nimmt den nächsten Fahrstuhl nach unten.

Sie kichert immer noch, als sie sich in der Cafeteria eine Cola aus dem Automaten holt. »Wer hätte das gedacht?«

Eine halbe Stunde später wagt sie einen zweiten Anlauf. »Wenn er jetzt noch da ist, hat er selber Schuld. Noch länger warte ich nicht!«, brummt sie, als die Fahrstuhltür aufspringt.

Energisch klopft sie an Annas Zimmertür und wartet auf ihr »Herein!«. Dann öffnet sie die Tür und lugt vorsichtig um die Ecke.

Anna sitzt in ihrem Bett wie eine kleine Königin und strahlt ihr entgegen. Neben ihr auf der Bettkante sitzt –

»Oh, hallo, Mark!« Conni bemüht sich, ein überraschtes Gesicht zu machen. Die beiden müssen schließlich nicht wissen, dass sie sie schon gesehen hat.

»Hey, Conni«, murmelt Mark verlegen und steht auf. »Ich, äh, ich wollte sowieso gerade gehen.«

»Aber hoffentlich nicht wegen mir, oder?«, sagt Conni fröhlich. Sie packt die Aufgabenzettel auf den Nachttisch.

»Ähm, ja, das heißt nein«, stammelt Mark.

Der Ärmste, denkt Conni. Jetzt wird er auch noch rot.

»Er hat gleich Fußballtraining«, kommt Anna ihm zu Hilfe.

»Äh, ja, genau.« Mark wirft ihr einen dankbaren Blick zu und greift nach seiner Jacke. »Ich geh dann mal.« Er stolpert über einen Hocker, fängt sich wieder und winkt. »Dann bis morgen.«

»Bis morgen!«, sagen Anna und Conni gleichzeitig.

Als die Tür zu ist, warten sie noch einen Augenblick, dann prusten sie los. Als ihr Lachanfall vorbei ist, erzählt Anna, dass Mark fast zwei Stunden bei ihr war.

»Er hat mir Schokocrossies mitgebracht. Ist das nicht romantisch?«, sagt sie mit leuchtenden Augen und hält Conni die geöffnete Schachtel hin.

Conni greift zu. Toll, dass es Anna so gutgeht, denkt sie. Marks Besuch hat sie regelrecht zum Strahlen gebracht.

»Habt ihr euch geküsst?«, fragt sie neugierig.

»Natürlich nicht!« Anna schüttelt energisch den Kopf. »Aber er hat meine Hand gehalten.«

»Ist ja süß«, mümmelt Conni. »Total romantisch.«

»Wusstest du, dass er sich schreckliche Vorwürfe wegen des Unfalls macht?«, fragt Anna. Sie lehnt sich in die Kissen zurück. »Er denkt, er ist schuld daran, weil er den Treffpunkt im Park vorgeschlagen hat. Stell dir vor: Er war sogar da und hat alles mit angesehen!«

Conni starrt Anna sprachlos an. Soll sie zugeben, dass sie das schon lange weiß? Nein, beschließt sie. Stattdessen erzählt sie, dass sie sich auch große Vorwürfe gemacht hat. »Wenn Nicki unser Versteck nicht entdeckt hätte, hättest du nie erfahren, dass wir da waren. Dann wärst du nicht so wütend weggelaufen und mit den Radfahrern zusammengeprallt.« Conni nimmt sich noch einen Crossie und zerbeißt ihn krachend.

»Der Unfall wäre nie passiert, und du würdest jetzt nicht im Krankenhaus liegen.«

»Das ist doch Blödsinn«, meint Anna. »Der Unfall wäre so oder so passiert.«

»Du meinst, es war Schicksal?«, fragt Conni zweifelnd.

»So was in der Art, klar«, nickt Anna. »Schuld waren die bescheuerten Radfahrer. Sie waren viel zu schnell. Ich hätte ihnen niemals ausweichen können. Na ja, dafür bekommen sie jetzt eine Anzeige von der Polizei. Aber wenigstens haben sie sich entschuldigt und mir Blumen und eine Karte geschickt.«

Conni nickt schweigend. Dass Anna die Sache so locker sieht, überrascht sie. Gleichzeitig fällt ihr ein dicker Stein vom Herzen.

Die Schachtel mit den Süßigkeiten ist im Nu leer geputzt.

Anna fegt sich genüsslich die letzten Schokokrümel in den Mund. »Hoffentlich bringt Mark morgen Nachschub mit«, kichert sie. »Daran könnte ich mich glatt gewöhnen.«

Conni versenkt die Schachtel im Papierkorb und richtet die Grüße vom Lindwurm und von dem Rest der Klasse aus.

»Hausaufgaben hab ich dir auch mitgebracht«, sagt sie und zeigt auf den Zettelstapel. »Tut mir leid, ich konnte es nicht verhindern.«

»Leg sie auf die Fensterbank«, seufzt Anna. »Dann besteht die Chance, dass die Putzfrauen sie mitnehmen und auf Nimmerwiedersehen entsorgen.«

»Das hättest du wohl gerne!« Conni lacht. »Aber im Ernst, du kannst froh sein, dass du im Moment nicht zur Schule musst. Die Lehrer scheinen sich abgesprochen zu haben, dass wir vor unserer Fete noch möglichst viele Arbeiten und Tests schreiben. Morgen Bio, Mittwoch Mathe und Freitag Englisch«, zählt sie auf. »Dazu noch Vokabeltests und unangekündigte Vergleichsarbeiten!«

»Oje, ob ich die etwa alle nachschreiben muss?« Anna zieht die Nase kraus.

»Kann ich mir nicht vorstellen«, meint Conni. »So ein Unfall ist schließlich höhere Gewalt. Wenn du die Arbeiten nachschreiben müsstest, wär das doch eine doppelte Bestrafung.«

»Puh«, macht Anna. »Hoffentlich hast du Recht. Aber den Stoff muss ich trotzdem lernen und aufholen. Bestimmt versäum ich ziemlich viel, oder?«

»Ach, das schaffst du schon«, sagt Conni zuversichtlich. »Billi, Dina und ich bringen dich auf den neusten Stand und geben dir Nachhilfe, sobald du hier raus bist. Weißt du inzwischen schon, wann du entlassen wirst?«

Anna zeigt auf einen großen Briefumschlag, der auf dem Nachttisch liegt, und nickt. »Das sind die Röntgenbilder von meinem Knöchel. Er verheilt so gut, dass ich zum Glück nicht operiert werden muss. Am Donnerstag krieg ich den Gehgips und am Freitag geht's nach Hause.« Sie grinst. »In die Schule darf ich aber leider noch nicht. Ich bin noch eine ganze Woche krankgeschrieben.«

»Beneidenswert«, seufzt Conni.

»Wir können gerne tauschen«, erwidert Anna prompt. »Du ahnst ja gar nicht, wie doll es unter so einem Gips juckt! Und den ganzen Tag nur rumzuliegen, ist auch nicht das Gelbe vom Ei.«

»Du hast Recht. Schule ist besser als Krankenhaus«, gibt Conni zu. »Aber wenigstens passt dein Timing. Du bist genau zu unserer Fete am übernächsten Freitag wieder fit! Ist der Gips bis dahin ab?«

»Leider nicht. Der muss mindestens für drei Wochen dranbleiben. Bis dahin hab ich bestimmt keine Haut mehr.« Sie versucht vergeblich, sich mit einem Kuli unter der harten Gipsschale zu kratzen.

»Dann wird es wohl nichts mit dem Tanzen, oder?« Conni zwinkert Anna zu. »Armer Mark!«

»Das wollen wir doch erst mal abwarten«, gibt Anna grinsend zurück.

»Ach herrje, wenn ich meinen Bus erwischen will, muss ich los!« Conni steht auf und umarmt Anna. »Tschüs, und gute Besserung. Ich komm morgen wieder und bring Billi und Dina mit.«

»Au ja!« Anna stopft sich ein Kissen in den Rücken und setzt sich gerade hin. »Dann könnt ihr mich in den Rollstuhl setzen und in die Cafeteria schieben. Da gibt's total leckere Eisbecher.«

»Machen wir. Obwohl –«, Conni hebt eine Augenbraue. »Ist das Rollstuhlschieben nicht eigentlich Marks Job?«

»Na warte!« Anna tut so, als wollte sie mit einem Kissen nach ihr werfen.

»Bin schon weg!«, lacht Conni und duckt sich. In der Tür bleibt sie stehen und dreht sich noch einmal um. »Ich bin echt froh, dass wir uns wieder vertragen haben.«

Anna thront in ihrem Bett. »Ich auch«, seufzt sie. »Und wie.«

Conni staunt, wie schnell die Zeit vergeht. Abgelenkt durch die täglichen Krankenhausbesuche bei Anna und von Klassenarbeiten und Tests gehörig auf Trab gehalten, stellt sie eine Woche später erschrocken fest, dass es gar nicht mehr lange dauert, bis das große Schulfest steigt.

»Heute ist Montag«, jammert sie ins Telefon. »Freitag steigt die Party, und wir haben noch nicht mal unsere T-Shirts fertig!«

»Nun bleib mal ganz ruhig, keine Panik«, brummt Billi am anderen Ende der Leitung. »Wir sind doch sowieso morgen Nachmittag bei Anna verabredet. Wir nehmen einfach alles mit und verzieren die T-Shirts bei ihr.«

»Geniale Idee«, meint Conni. »Aber darf Anna überhaupt schon so viel Besuch auf einmal bekommen? Sie ist doch erst am Freitag aus dem Krankenhaus entlassen worden. Ihre Mutter meint, dass sie noch viel Ruhe braucht.«

»Oh, Mann!«, stöhnt Billi auf. »Dass Annas Mutter immer so überbesorgt sein muss! Wir wollen mit Anna schließlich nicht für einen Marathon trainieren, sondern nur ein paar harmlose T-Shirts bemalen. Wenn du mich fragst, ist das genau die richtige Beschäftigungstherapie für Genesende. Oder ist das etwa zu anstrengend?«

Conni lacht. »Nein, ich glaub nicht. Ich werde aber vorsichtshalber lieber vorher anrufen und fragen.«

»Okay, mach das«, sagt Billi. »Wir sehen uns morgen in der Schule.«

»Ja, zwangsläufig«, erwidert Conni. »Bis dann.«

Sie legt das Telefon zurück und blättert lustlos in ihrem Erdkundebuch, das aufgeschlagen vor ihr liegt.

»Auf zum nächsten Test«, seufzt Conni. Den Kopf in beide Hände gestützt, versucht sie mit Hilfe einer geologischen Karte im Atlas die Bodenschatzvorkommen in Nordafrika zu ermitteln. Kurze Zeit später hat sie das Gefühl, als würde ihr Gehirn gegen den Uhrzeigersinn im Kreis rotieren.

»Das kann sich doch kein normaler Mensch merken!«, schimpft sie und klappt das Buch zu. »Es sei denn, er will freiwillig Erdkundelehrer werden.« Sie beschließt, für heute genug gelernt zu haben, und nimmt Mau auf den Arm. »Was ich bis jetzt nicht kapiert hab, kapier ich sowieso nicht mehr«, murmelt sie in sein warmes Fell. »Oder was sagst du dazu?«

Mau schnurrt zustimmend.

***

»Jeder bekommt ein T-Shirt zum Stylen«, sagt Dina. Sie sitzt im Schneidersitz in Annas Zimmer und versucht den anderen zu erklären, wie sie sich die Gestaltung der Party-T-Shirts vorstellt. Aus Annas Computer kommt fetzige Musik von einer CD.

»Aber was ist, wenn beim perfekten Styling was schiefgeht?« Billi betrachtet die weißen T-Shirts auf Annas Bett und zieht die Stirn kraus. »Modedesign ist echt nicht meine Stärke.«

»Macht nichts«, meint Dina. »Ich helf dir.«

Sie verteilt die Farbdosen, den Textilkleber und die Glitzersteinchen.

Anna thront bequem in ihrem Korbstuhl, das pinkfarbene Gipsbein auf einen Hocker gelegt. Conni, Billi und Dina löchern sie mit neugierigen Fragen.

»Habt ihr euch schon geküsst?«, will Billi wissen.

»Natürlich nicht«, erwidert Anna und beugt sich schnell zur Seite, um Nicki zu streicheln.

Sie sagt es so hastig und wird dabei so rot, dass Conni ihre Zweifel hat, ob sie auch die Wahrheit sagt. Grinsend fragt sie, ob Anna ihren Eltern schon von Mark erzählt hat.

»Nicht wirklich«, gibt Anna zu. »Ich weiß auch gar nicht, was ich ihnen sagen soll. Ich glaube nicht, dass sie davon begeistert wären.«

»Nein, wahrscheinlich nicht«, stimmt Conni ihr zu. »Mein Vater würde ausflippen.«

»Und meiner erst!«, behauptet Billi. »Italienische Papas sind in solchen Liebesdingen total temperamentvoll. Der würde mich garantiert keine Sekunde mehr aus den Augen lassen!«

Sie lachen, und Anna nutzt die Gelegenheit, um geschickt das Thema zu wechseln.

»Bevor wir anfangen, müsst ihr noch auf meinem Gipsbein unterschreiben und was zeichnen«, sagt sie.

»Hat Mark Moonwalker denn noch genug Platz für uns übrig gelassen?« Conni zeigt auf Marks Unterschrift, die fast die Hälfte des vorderen Gipsbeins einnimmt, und kichert.

»Ha, ha«, macht Anna. »Er wollte nur gern der Erste sein, der unterschreibt.«

»Das ist nicht zu übersehen.« Immer noch kichernd schnappt Conni sich einen Filzer und setzt ihr Autogramm unter das von Mark. Sie malt ein paar Smileys und Blumen drum herum und einen kleinen Pferdekopf daneben.

»Wie süß!«, meint Billi, bevor sie sich darunter verewigt.

»Triffst du dich mit Mark eigentlich noch in diesem Internet-Chat?«, fragt Conni.

Anna schüttelt den Kopf. »Nein, aber wir mailen uns jeden Tag.«

»Wie romantisch«, grinst Billi.

»Ja, das ist es.« Anna zieht eine Augenbraue hoch. »Sehr sogar!«

Dina malt eine witzige Comiczeichnung auf ihren Gips.

»Und jetzt an die Arbeit!«, ruft sie und klatscht in die Hände. »Am besten zeichnen wir die Motive vorher auf ein Blatt Papier.«

Wenig später sind sie vollkommen in ihre Arbeit vertieft. Als Annas Mutter ein Tablett mit Limo und Keksen ins Zimmer stellt, schauen sie kaum auf. »Lasst euch nicht stören«, sagt Frau Brunsberg nur und zieht die Tür wieder hinter sich zu.

Die Motivfrage ist leider nicht so leicht zu lösen, wie Dina es sich vorgestellt hat. Billi will ihr T-Shirt mit gelben und schwarzen Tigerstreifen verzieren, Anna schwebt ein romantisches Einhorn in Rosatönen vor, während Dina Manga-Motive bevorzugt. Conni gefällt nichts davon besonders gut. Sie nimmt einen Keks vom Teller und knabbert daran. Plötzlich hat sie eine geniale Idee.

»Ich hab's!«, ruft sie. »Paul hat neulich doch gesagt, wir wären so unzertrennlich wie siamesische Vierlinge!«

»Ist ja nett«, brummt Billi. »Aber was soll uns das jetzt sagen?«
Conni schnappt sich ein T-Shirt und hält es sich vor die Brust.
»Was haltet ihr davon, wenn wir ein gemeinsames Motiv für
uns alle nehmen? Eins, das zu uns passt und zeigt, dass wir
Freundinnen sind?«

»Wir sollen uns siamesische Vierlinge auf die T-Shirts malen?«
Anna wirft Conni über den Rand ihrer Brille einen skepti-
schen Blick zu. »Findest du das besonders originell?«

»Also, ich nicht«, sagt Dina sofort.

»Keine Angst, ich auch nicht«, lacht Conni. »Mir schwebt auch
eher ein anderes Symbol vor.«

»Und das wäre?«, will Billi wissen.

»Ein Kleeblatt natürlich!« Conni breitet die Arme aus. »Und
zwar ein vierblättriges!«

»Das ist ja —«, setzt Anna an.

»Eine super Idee!«, vollendet Billi den Satz.

»Ja, das passt gut«, nickt Dina. »Wir vier sind nicht nur unzertrennlich wie ein vierblättriges Kleeblatt, unsere Anfangsbuch-
staben bilden sogar den Anfang des Alphabets. Ist euch das
schon mal aufgefallen? Anna, Billi, Conni, Dina – ABCD!«

»Das merkst du jetzt erst?«, frotzelt Billi.

Dina überhört ihren Einwurf. »Wir malen auf jedes T-Shirt ein
kleines Kleeblatt in unseren Lieblingsfarben«, schlägt sie vor.
»Und in jeweils eins der Blätter kommt der Anfangsbuchstabe.
Bei mir ein D, bei Conni ein C und so weiter.«

»Und diese Buchstaben«, verkündet Anna grinsend, »kleben
wir mit den Glitzersteinchen auf!«

»Zusätzlich können wir auch noch unsere Lieblingsmotive
aufzeichnen«, ergänzt Dina. »Vielleicht auf die Rückseite?«

»Mir reicht das kleine Kleeblatt«, sagt Billi. »Besonders wenn ich meine Tigerhose dazu anziehe.«

Conni nimmt eins der Döschen mit den Glitzersteinchen und -sternchen in die Hand und schüttelt es. »Worauf warten wir noch?«

Die Frage der jeweiligen Kleeblattfarbe ist schnell geklärt.

»Zum Glück haben wir unterschiedliche Lieblingsfarben«, sagt Dina. »Ich nehm Grün, Anna Pink, Billi Blau und Conni Rot. Soll ich eine Schablone machen, damit die Kleeblätter alle gleich groß sind?«

Billi reicht ihr ein Stück Pappe. Geschickt zeichnet Dina ein vierblättriges Kleeblatt darauf und schneidet es aus. Mit einem Textilmarker überträgt sie die Umrisse dann auf die vier T-Shirts. »Malen und verzieren könnt ihr es aber hoffentlich selbst«, sagt sie. »Oder soll ich das etwa auch noch machen?«

»Och«, meint Billi. »Wenn man schon mal eine Künstlerin zur Freundin hat ...«

Conni wirft ihr ein T-Shirt an den Kopf. »An die Arbeit«, lacht sie. »Sonst werden wir nie bis Freitag fertig!«

»Und das wär ziemlich blöd«, meint Anna. »Also, schwingt die Pinsel, Mädels!«

***

Wegen der Partyvorbereitungen fällt am Freitagvormittag der Schulunterricht aus. Der Unterstufenflur ist abgesperrt.

Aus den leergeräumten Klassenzimmern hallt Hämmern und Sägen durch die Flure. Hin und wieder ist ausgelassenes Gelächter zu hören oder ein lautstarker Fluch.

Conni hängt mit Dina und Billi Werbeplakate für ihre

Karaoke-Disko auf und verteilt Handzettel und Freikarten an die Mitschüler. Das Interesse ist riesengroß. Die Freikarten werden ihnen fast aus den Händen gerissen.

»Hey, ihr macht uns echt Konkurrenz!«, ruft Lia Conni im Vorbeigehen zu. Das rothaarige Mädchen trägt einen viel zu großen Maleroverall und winkt.

»Hoffentlich!«, ruft Conni zurück. »Wir hatten eben doch die bessere Idee!«

Lia lacht und verschwindet im Kunstraum.

»So, das ist das letzte Plakat«, verkündet Billi. Sie befestigt es mit Klebestreifen an einem Mauerpfeiler und reibt sich die Hände. »Wir sind fertig!«

»Schade, dass Anna erst heute Abend kommt«, meint Dina, als sie in die Klasse zurückgehen.

»Wir können froh sein, dass sie überhaupt kommen kann«, erwidert Conni. »Mit ihrem Gipsbein hätte sie uns sowieso nicht viel helfen können. Sie darf den Knöchel noch nicht so lange belasten.«

»Heute Abend kann Mark sie ja auf Händen tragen.« Billi kichert.

Conni stößt ihr den Ellbogen zwischen die Rippen. »Pst, nicht so laut. Da ist er.«

»Ups«, macht Billi und grinst.

Mark und Phillip schließen die Musikanlage an, während Paul und Tim in einer Ecke des Klassenzimmers einen Tresen aus Holzbrettern zimmern.

Die hohen Fenster sind bereits mit schwarzer Folie abgeklebt. An den Wänden hängen die bunten Poster aus dem Kunstunterricht.

Phillip schaut auf, als er die Mädchen bemerkt. »Hey, die Beleuchtung ist schon fertig. Wollt ihr mal sehen?«

Er schaltet das Deckenlicht aus und bedient ein paar Regler an einem kompliziert aussehenden Mischpult. Wie von Geisterhand dreht sich über den Köpfen der Mädchen plötzlich eine glitzernde Diskokugel. Aus kleinen Stroboskopscheinwerfern schießen grelle, zuckende Lichtblitze. Ampeln werfen buntes Blinklicht an die Wände.

»Sieht toll aus«, sagt Conni beeindruckt.

»Moment!« Phillip zwinkert ihr zu. »Das ist noch nicht alles. Wir haben sogar Schwarzlicht.«

Er drückt auf einen Knopf. Der Raum ist stockdunkel, nur hier und da blitzen helle Kleidungsstücke und weiße Zähne neonhell auf. Es sieht gespenstisch aus.

»Wow!«, ruft Billi. »Das ist cool!«

Phillip schaltet das normale Licht wieder an. Connis Augen brauchen einen Moment, um sich wieder umzustellen.

»Zur Musik sieht es noch besser aus«, meint Mark. »Dann bewegen sich die Scheinwerfer im Takt.«

»Woher habt ihr das alles?«, staunt Dina.

»Ein paar Sachen stammen aus unserem Partykeller.« Phillip klemmt ein Kabel mit einer Zange ab und verbindet zwei dünne Drähte miteinander. Sein Gesicht ist konzentriert.

Es sieht richtig professionell aus, findet Conni. Als ob er so was jeden Tag macht.

»Das Schwarzlicht und die Stroboskoplampen sind eine Leihgabe aus dem Physikraum«, fügt Paul hinzu. »Der Referendar hat sich für uns eingesetzt. Der macht ja auch die Aufsicht.«

»Super«, meint Billi.

»Können wir noch irgendetwas tun?« Conni versenkt die Hände in den Taschen ihrer Jeans.

»Nein, wir sind so weit fertig.« Phillip legt die Zange in seinen Werkzeugkoffer und wendet sich an Mark. »Sind die Getränke schon da?«

Mark nickt. »Alles da. Der Getränkeservice hat sie bis vor die Tür geliefert.«

»Die Musik ist auch komplett!«, ruft Tim. »Ich hab noch ein paar Oldies von zu Hause mitgebracht. Falls die Lehrer tanzen wollen oder sich trauen, beim Karaoke mitzumachen. Die neuesten Hits kennen die doch gar nicht.«

»Stimmt«, grinst Paul. »Das könnte peinlich werden.«

Alle lachen.

»Dann sind wir wirklich fertig«, stellt Phillip fest. »Die Party kann steigen!«

»Aber erst um vier«, bemerkt Mark. Er wirft einen Blick auf seine Uhr. »Jetzt ist es zwei. Wir sind viel früher fertig geworden als geplant.«

»Besser zu früh als zu spät oder nie«, säuselt Janette im Vorbeigehen. Gemeinsam mit Ariane und Saskia verteilt sie die Getränkekarten im Raum und lässt mit ihrem wichtigen Getue keinen Zweifel daran, für wie verantwortungsvoll sie diese Aufgabe hält.

Die anderen grinsen sich an. Paul zeigt Janette einen Vogel, aber die ist schon weiterstolziert und hat es nicht gesehen.

»Ich fahr nach Hause und zieh mich um«, sagt Conni zu Billi und Dina. »Wollen wir uns gegen halb vier bei Anna treffen? Ihre Mutter hat doch versprochen, uns zu fahren.«

Billi und Dina sind einverstanden.

»Und vergiss das Farbspray für die Haare nicht«, raunt Billi Conni zu.

»Bestimmt nicht«, flüstert Conni zurück. »Bis später, ciao!«

Zu Hause wird sie im Flur von Jakob abgefangen. »Papa ist schon da. Er kocht Chili con Carne!«

»Hm, lecker.« Conni hebt schnuppernd die Nase. Die mexikanische Spezialität mit Hackfleisch, Bohnen und scharfem Chili-Gewürz ist Papas Lieblingsgericht. Er behauptet allerdings, dass ein gutes Chili con Carne mehrere Stunden kochen muss. Conni seufzt. Bis es fertig ist, ist sie längst weg.

»Darf ich nachher mit?«, wechselt Jakob das Thema.

»Wohin?«, fragt Conni zurück.

»Na, auf die Party!«

Conni lacht. »Im Leben nicht! Dafür bist du noch viel zu klein!«

»Bin ich nicht!«

»Bist du doch! Partys sind nur für Große!«

Jakob streckt ihr die Zunge heraus.

Geschickt schlängelt Conni sich an ihrem Bruder vorbei in die Küche.

Papa steht am Herd und trägt seine Lieblingsschürze, die Conni und Jakob ihm zum letzten Geburtstag geschenkt haben. Sie ist dunkelblau mit einem roten Herzen auf der Brust, über dem quer »Heute kocht Vati« steht. Andächtig rührt er in einem großen Topf.

Mama lehnt am Küchenschrank und studiert einen bunten Werbeprospekt.

Papa unterbricht sein gleichmäßiges Rühren. »Es gibt Chili con Carne«, verkündet er stolz.

»Hab ich schon gerochen.« Conni schnappt sich einen grünen Apfel. »Lasst mir was übrig. Heute futtere ich in der Schule. Eine Klasse backt Waffeln, eine andere verkauft Salate und belegte Brötchen. Ich bin nur schnell gekommen, um mich umzuziehen.«

»Soll ich dich gleich wieder in die Schule zurückfahren?«, fragt Mama.

»Nicht nötig. Das übernimmt Annas Mutter.« Conni beißt in den Apfel. »Sie holt uns auch wieder ab und bringt uns nach Hause.«

Papa hebt die Augenbrauen. »Und wann wäre das?«

»So gegen zehn«, mümmelt Conni. »Dann ist offiziell Schluss.«

»Wie bitte?« Papa lässt den Kochlöffel fallen. »So spät?«

Conni rollt mit den Augen, nagt den Apfel bis aufs Kerngehäuse ab und versenkt es im Abfalleimer.

»Wir holen euch um neun ab, dann muss Annas Mutter nicht zweimal fahren«, schlägt Mama vor.

»Was!?«, entfährt es Conni. »Neun ist viel zu früh! Ich bin doch kein Baby mehr!«

Papa nimmt einen neuen Löffel und rührt so energisch in seinem Essen, dass es überschwappt. Jakob kichert.

»Neun ist echt zu früh«, jammert Conni.

»Sagen wir halb zehn«, sagt Mama.

»Viertel vor«, erwidert Conni. »Bitte, bitte.«

Mama und Papa wechseln einen Blick.

»Einverstanden«, brummt Papa. »Aber nur, weil heute Freitag ist und du morgen ausschlafen kannst.« Er bemüht sich, ein strenges Gesicht zu machen, aber um seine Mundwinkel zuckt es verdächtig.

Conni fällt ihm um den Hals. »Danke!« Sie dreht sich um und schlittert auf Socken durch den Flur. »Ihr seid echt spitze!«, ruft sie, als sie die Treppe hinauf in ihr Zimmer stürmt.

Eine Viertelstunde später ist Conni fertig. Sie steht vor dem großen Schlafzimmerspiegel und betrachtet sich von allen Seiten.

»Gar nicht mal so übel«, murmelt sie.

Das T-Shirt ist klasse geworden! Das kleine vierblättrige Kleeblatt hebt sich dezent von dem weißen Stoff ab. Das C aus den aufgeklebten Glitzersteinchen blitzt bei jeder Bewegung lustig auf. Dazu trägt sie dunkelblaue Jeans und ihre Lieblingsturnschuhe.

Das Farbspray für die Haare stopft Conni ganz zuunterst in ihren Rucksack. Es ist eindeutig besser, diese Aktion erst bei Anna zu starten, denkt sie. Sonst regt Papa sich gleich wieder auf.

Gutgelaunt hüpft sie die Treppe runter und ruft: »Ich geh dann mal!«

Mama kommt aus der Küche. »Hübsch siehst du aus«, sagt sie und steckt ihr einen 5-Euro-Schein zu. »Das ist fürs Essen und Trinken. Viel Spaß!«

»Wünsch ich dir auch!«, ruft Papa vom Herd.

Jakob sitzt im Wohnzimmer und brütet über seinem Puzzle.

»Bis später«, sagt Conni zu ihm und strubbelt ihm durchs Haar. »Soll ich dir eine Waffel mitbringen?«

»Au ja!« Jakobs Augen leuchten auf. »Mit Puderzucker!«

»Wird gemacht.« Conni zieht ihren dicken Pulli über, wirft sich den Rucksack über die Schulter und winkt. »Tschüs, Familie!«

Im Laufschritt joggt sie die paar Straßen bis zu Annas Haus. Billi und Dina sind schon da.

»Wo bleibst du denn?«, fragt Anna vorwurfsvoll.

»Und wo sind deine Strähnchen?«, erkundigt sich Billi.

Conni starrt Billi an und prustet los. »Wie siehst du denn aus?«

»Cool, oder?« Billi dreht sich hin und her. Ihre Haare stehen stachlig vom Kopf ab, dazu hat sie einzelne Strähnen mit blauem Farbspray aufgepeppt. Zu ihrem weißen Kleeblatt-T-Shirt trägt sie ihr Lieblingsstück: eine gelb-schwarz gestreifte Tigerhose.

»Du erinnerst mich an Mandy«, lacht Conni. »Mit der Frisur könntet ihr glatt Zwillingsschwestern sein.«

»Deine flippige Austauschschülerin war eben ein echter Trendsetter«, grinst Billi. »Ihre Frisur hat mir auf den ersten Blick gefallen.«

Auch Dina und Anna haben schon farbige Strähnen im Haar, sie sind allerdings deutlich weniger auffällig als bei Billi.

»Und was ist mit dir?«, fragt Anna. »Du hast dich wohl nicht getraut, was?«

Conni nimmt ihren Rucksack von der Schulter und angelt das Farbspray heraus. »Von wegen«, sagt sie. »Ich wollte nur sichergehen, dass mein Vater keinen Schock bekommt.« Sie rollt mit den Augen und schüttelt die Spraydose.

»Ja, ja«, seufzt Billi. »So sind Väter nun mal.«

Conni schlüpft ins Bad und stellt sich vor den Spiegel. Anna,

Billi und Dina stehen mit erwartungsvollen Gesichtern in der Tür.

»Du musst die Strähnen einzeln anheben und besprühen«, rät Anna.

Conni hebt eine seitliche Haarsträhne an und besprüht sie vorsichtig. In null Komma nix hat sie eine leuchtend rote Strähne.

»Hey, das ist cool«, sagt sie und wendet den Kopf hin und her. »Ich seh ja jetzt schon ganz anders aus.«

Billi hält den Kopf schräg und nickt. »Ich würd's so lassen. Mehr Farbe brauchst du gar nicht.«

Es stimmt. In Connis blondem Haar fällt die rote Strähne total auf.

»Noch mehr Farbe, und Phillip erkennt dich nicht wieder«, kichert Anna. Sie stützt sich auf zwei Gehhilfen in Pink – passend zu ihrem Gehgips, den sie mit ein paar übrig gebliebenen Glitzersternchen verziert hat.

»Ha, ha«, macht Conni. »Das musst du gerade sagen. Dein süßer Mister Moonwalker wartet bestimmt schon sehnsüchtig auf dich.«

»Wollen wir uns auch ein bisschen schminken?«, wechselt Anna schnell das Thema. »Ich hab Lipgloss und Rouge.«

»Ohne mich«, brummt Billi. »Wir gehen schließlich nicht zum Fasching.«

»Ein bisschen Lipgloss würde dir bestimmt gut stehen«, sagt Anna. »Du kannst ja farbloses nehmen.«

Billi schüttelt den Kopf. »Nein, danke.«

»Ich nehm welches.« Dina greift in das kleine Körbchen, in dem Anna ihre Kosmetiksachen aufbewahrt.

Sie hat gerade Lipgloss und ein kleines bisschen Rouge aufge-
tragen, als Annas Mutter ruft: »Kommt ihr runter, oder wollt
ihr zu spät zu eurem eigenen Fest kommen?«

Conni, Anna, Billi und Dina gucken sich an und holen tief
Luft.

»Jetzt geht's los«, sagt Anna aufgeregt. Sie sortiert ihre Gehhilfen und stakst ganz langsam die Treppe hinunter.

»Oh, Mann«, murmelt Conni. »Unsere erste richtige Fete!«
In ihrem Magen kribbelt es, als hätte sie tausend Ameisen verschluckt. Das ist so spannend, denkt sie. Ich halt's kaum aus!
Plötzlich fällt ihr etwas ein. Mitten auf der Treppe bleibt sie
stehen und klammert sich am Geländer fest. »Wisst ihr, was wir
total vergessen haben?«, fragt sie die anderen.

»Nein«, sagt Billi.

»Was denn?«, fragt Dina.

»Wir haben nicht geübt, wie man tanzt!« Connis Gesicht ist
verzweifelt.

»Ach, herrje.« Billi bläst die Backen auf. »Stimmt ja.«

Anna schüttelt den Kopf und stakst unbeirrt weiter. »So ein
Blödsinn«, meint sie. »Tanzen ist wie Radfahren oder Schwimmen: Entweder man kann's oder man kann's nicht.«

»Aber das ist es ja gerade«, jammert Conni. »Ich bin ziemlich
sicher, dass ich's nicht kann! Wie könnt ihr so ruhig bleiben?«

»Ich tanz sowieso nicht«, brummt Billi.

»Können wir, ihr Süßen?« Annas Mutter steht an der Haustür
und winkt mit den Autoschlüsseln.

Nein!, hätte Conni am liebsten gesagt, aber sie schluckt es hinunter. So ein Mist, denkt sie. Ich werde garantiert die Lach-
nummer des Abends!

»Ich hätte nie gedacht, dass ich mich eines Tages freuen würde, diesen ollen Kasten zu betreten.« Schwungvoll reißt Billi die breite Eingangstür der Schule auf und lässt die anderen hinein. Anna müht sich mit ihren Gehhilfen ab und bleibt an der Tür hängen. Dina befreit sie schnell.

Conni schluckt. Irgendwo spielt gedämpfte Musik. Sie kann die Bässe wummern hören. Die Party scheint schon in vollem Gange zu sein. Noch kann ich umkehren, überlegt sie fieberhaft. Ich sag einfach, mir ist übel, und dann –

»Hey, Conni«, sagt jemand hinter ihrem Rücken. Eine Hand legt sich leicht auf ihre Schulter.

Oh nein! Conni kneift ganz kurz die Augen zu, bevor sie sich umdreht und Phillip begrüßt.

»Hallo, Phillip.« Sie ringt sich ein kleines, nervöses Lächeln ab. Zum Glück ist Phillip nicht allein. An der Treppe stehen mehrere Kisten mit Fruchtsäften und Knabberkram, die er mit ein paar anderen Jungs aus der Klasse nach oben tragen will.

»Wir sehen uns später, okay?« Er zwinkert ihr kaum merklich zu, dann hievt er sich eine Kiste auf die Schulter, klemmt sich eine zweite unter den Arm und trägt beide so mühelos die Treppe hinauf, als wäre das die leichteste Übung der Welt.

»Ganz schön stark.« Billi folgt Phillip mit ihrem Blick und pfeift leise. Conni würde ihr am liebsten auf den Fuß treten, aber sie beherrscht sich.

»Wohin wollen wir zuerst?«, fragt sie.

»In unsere Klasse«, schlägt Anna vor. »Da können wir unsere Sachen ablegen.«

»Wir müssen auch nachgucken, wann wir Dienst haben«, sagt Dina. »Hoffentlich muss ich keine Getränke verkaufen und Geld kassieren. Kopfrechnen ist echt nicht meine Stärke.«

»Unsere Getränke kosten doch alle dasselbe«, schmunzelt Billi. »Das wirst du schon schaffen.«

Connis Herzschlag setzt aus. Auweia! Das ist schon die zweite wichtige Sache, die sie in der ganzen Aufregung glatt vergessen hat! Jede Klasse ist für bestimmte Dienste eingeteilt. Die Schüler sollen sich im Halbstundentakt abwechseln, damit nicht einer den ganzen Abend hinter der Bar stehen und ein anderer nur Eintrittskarten verkaufen muss. Jeder kommt mal dran, keiner kann sich drücken.

»Hoffentlich sind wir möglichst früh an der Reihe, dann ist noch nicht so viel los«, sagt sie hoffnungsvoll. »Besser, wir beeilen uns ein bisschen!«

So schnell es mit der armen Anna im Schlepptau geht, laufen sie in ihre Klasse.

Die Disko ist noch ziemlich leer, nur ein paar Mädchen und Jungen aus der Klasse drücken sich in den Ecken herum und studieren neugierig die Getränkekarten. Der Referendar winkt und nuckelt am Strohhalm seiner Colaflasche.

Obwohl aus der Anlage bereits laute Diskomusik kommt und die Lichtorgeln im Takt dazu flackern, traut sich noch niemand zu tanzen. Conni hat das Gefühl, als würden sich die Härchen auf ihren Unterarmen einzeln aufrichten, so spannend findet sie das alles.

Der Lichtstrahl der Karaoke-Anlage wirft ein Musikvideo auf die große Leinwand. Der Text des Liedes läuft zum Mitsingen wie ein Fließband am unteren Bildrand entlang und wird ständig erneuert. Die aktuelle Textstelle ist farbig hervorgehoben. Phillip und Paul stehen hinter einem Pult, von dem aus sie die Anlage bedienen. Sie winken den Mädchen fröhlich zu.

Die verstauen schnell ihre Jacken, Pullis und Rucksäcke im Abstellraum hinter der Bar.

»Habt ihr Mark schon irgendwo gesehen?«, fragt Anna. Sie sieht sich suchend um.

»Bis jetzt noch nicht«, sagt Billi.

»Aber bestimmt kommt er jeden Moment«, ergänzt Dina, der Annas enttäuschtes Gesicht nicht verborgen geblieben ist.

Conni späht auf den Dienstplan.

»Cool«, sagt sie zu Dina und Billi. »Wir sind als Kartenkontrolleure eingeteilt. Unser Dienst fängt gleich an.«

Dina runzelt die Stirn. »Und was müssen wir da genau machen?«

»Die Freikarten kontrollieren«, antwortet Conni. »Wer eine hat, bekommt von uns einen Stempel auf die Hand und darf umsonst rein.«

»Darf ich bitte das Stempeln übernehmen?«, fragt Billi grinsend.

»Klar, von mir aus«, nickt Conni.

»Und was soll ich in der Zeit machen?«, mault Anna. »Etwa Däumchen drehen?«

»Nee, Quatsch«, lacht Conni. »Das wäre wohl ziemlich schwierig mit deinen Krücken.« Sie überlegt. »Du darfst dich ganz gemütlich auf einen Stuhl setzen und zugucken, ob wir alles richtig machen.«

»Vielleicht lass ich dich auch mal stempeln«, meint Billi und wedelt mit dem Stempelkissen.

Anna ist einverstanden. »Dann mal los!«, sagt sie.

Conni und Billi stellen einen Tisch vor die Klasse. Dina schleppt vier Stühle heran. Kaum haben die vier es sich am Eingang zur Disko gemütlich gemacht, kommen die ersten Gäste. Conni und Dina kontrollieren die Eintrittskarten, während Billi den Diskobesuchern mit wichtiger Miene einen Stempel auf die Hand drückt.

»Dahinten kommt übrigens Mark«, raunt sie Anna beiläufig zu, die auf einem Stuhl neben ihr sitzt. Annas Miene erhellt sich schlagartig.

»Wie seh ich aus?«, flüstert sie nervös.

»Niedlich«, flüstert Billi zurück. Wie zur Bestätigung drückt sie einen Stempel auf Annas Gipsbein.

Anna will gerade zum Protest ansetzen, als Mark schon vor ihr steht. Er nickt den anderen kurz zu, dann räuspert er sich.

»Hallo, Anna«, sagt er.

Conni, Billi und Dina gucken sich an. Conni muss sich auf die Lippe beißen, um nicht zu grinsen. Schnell guckt sie in die andere Richtung.

»Hallo, Mark«, sagt Anna. Obwohl sie durch das Rouge ohnehin schon rosa Bäckchen hat, verdunkelt sich der Farbton ihres Gesichts um eine weitere zarte Nuance.

Mark schiebt eine Hand tief in die Tasche seiner ausgebeulten Jeans, mit der anderen kratzt er sich unsicher am Hinterkopf.

»Ähm … ich denk, ich geh dann mal rein«, murmelt er. »Ich hab nämlich Getränkedienst …. glaub ich jedenfalls.«

»Ist gut«, sagt Anna verlegen. »Wir können uns dann ja später drinnen treffen.«

»Jo, bis später dann.« Mark zieht seine Hand aus der Tasche und winkt. Dann dreht er sich schnell um und schiebt sich durch das Gewühle in die Disko.

Conni grinst Anna an.

Anna grinst zurück.

Als ihr Dienst nach einer halben Stunde endet, übergeben sie die Verantwortung und das Stempelkissen an ihre Nachfolger. Billi schüttelt ihre Hand aus und stöhnt: »Postbeamtin werd ich bestimmt nicht. Ich wusste ja nicht, dass Stempeln so anstrengend sein kann.«

»Dann sollten wir vielleicht erst mal was essen«, schlägt Conni vor. »Zur Stärkung, bevor wir uns ins Getümmel stürzen.«

Sie wirft einen kurzen Blick in die Disko. Die Tanzfläche ist inzwischen gut gefüllt. Zwei Fünftklassler halten Mikrofone in den Händen und betätigen sich mutig als Karaoke-Sänger. Das Ergebnis ist nicht gerade ein musikalischer Hochgenuss, stellt Conni fest. Aber das scheint niemanden zu stören. Alle amüsieren sich.

Über die breite Treppe bahnen sie sich einen Weg nach unten und machen einen kleinen Abstecher durch die Geisterbahn, die in der Aula aufgebaut ist. Anschließend stellen sie sich in die lange Warteschlange vor dem Waffelstand. Der Duft der frisch gebackenen Waffeln ist einfach zu köstlich.

Conni schnuppert wie ein Kaninchen und spürt, wie ihr das Wasser im Munde zusammenläuft. »Ich bring dir eine mit«, sagt sie zu Anna, die sich etwas abseits des Trubels auf eine Treppenstufe gesetzt hat.

Nachdem sie ihre Waffeln verputzt haben, holen sie sich an einer Saftbar Multivitamin-Drinks.

»Hm, lecker«, sagt Anna. »Das ist genau das Richtige.«

»Und wohin gehen wir jetzt?« Billis Augen blitzen genauso unternehmungslustig auf wie das kleine Glitzer-B auf ihrem T-Shirt.

»In die Disko?«, fragt Dina.

»In die Disko!«, antworten die anderen wie auf Kommando. Kichernd machen sie sich auf den Weg.

Vor der Karaoke-Disko hat sich in der Zwischenzeit eine lange Schlange gebildet. Janette, Saskia und Ariane haben Türdienst.

»Wir können keinen mehr reinlassen«, jammert Ariane. »Die Disko ist proppevoll!«

Aus der Warteschlange kommt lautstarker Protest.

»Ihr müsst warten, bis welche rauskommen.« Arianes Gesicht ist puterrot. Ihre mühsam mit Haarspray fixierte Lockenpracht ist vollkommen verrutscht.

»Hilfe, mir ist ein Nagel abgebrochen!«, kreischt Janette.

»Mann, das halt ich nicht aus«, brummt Billi. »Gibt's keinen Nebeneingang?«

»Doch.« Conni nickt in Richtung Abstellraum. »Aber nur, wenn die Tür nicht abgeschlossen ist.«

Die Tür zum kleinen Abstellraum ist zum Glück offen. Sie

bahnen sich einen Weg zwischen Putzmitteln, Eimern und Wischmopps hindurch und gelangen durch die schmale Hintertür in ihren Klassenraum.

»Perfekt!«, grinst Conni. Sie tauchen genau hinter der Bar auf.

Mark und Tim fahren erschrocken herum.

»Wo kommt ihr denn so plötzlich her?«, staunt Mark.

»Das ist unser Geheimnis«, kichert Billi.

»Puh!«, macht Anna. »Ich glaub, ich muss mich erst mal hinsetzen.«

Sofort schiebt Mark ihr einen Stuhl hin. »Soll ich dir noch einen zweiten holen, damit du deinen Fuß hochlegen kannst?«, fragt er besorgt.

»Danke, nicht nötig.« Anna lächelt ihn an. »Ich leg ihn einfach auf eine Colakiste, wenn's dich nicht stört.«

»Nein, nein«, versichert Mark. »Überhaupt nicht.«

Er schiebt zwei Getränkekisten vor Annas Stuhl und stapelt sie aufeinander. »Geht's so?«

Anna legt ihr Gipsbein auf die obere Kiste. »Perfekt, vielen Dank.«

»Wer ist das denn?«, fragt Billi plötzlich. Sie zeigt auf die Tanzfläche.

Anna reckt den Hals, um von ihrem niedrigen Sitzplatz einen besseren Blick zu haben.

Eine große, hagere Frau wiegt sich im Takt der Musik. Sie trägt einen langen bunten Hippie-Rock und eine dazu passende Bluse mit weiten Ärmeln. Um den Hals hat sie einen fliederfarbenen Fransenschal gebunden. Ganz kurz glaubt Conni, das Gesicht der Tanzenden erkannt zu haben, aber sie traut ihren Augen nicht.

»Das ist doch nicht etwa …?«, murmelt sie und schüttelt energisch den Kopf. »Nein, das kann nicht sein!«

»Doch«, sagt Dina trocken. »Sie ist es. Unglaublich, nicht?«

Sie starren auf die Tanzfläche. Die Frau lacht. Sie hebt die Hände über den Kopf und dreht sich im Kreis.

»Frau Lindmann!«, sagen Conni, Dina, Billi und Anna im Chor.

Es stimmt. Vor ihnen tanzt Frau Lindmann, der Schrecken der 6 a, fröhlich und ausgelassen zur Diskomusik!

»Krass, oder?«, raunt Mark den Mädchen grinsend zu. »Die hoppelt schon die ganze Zeit so rum! Und der Typ neben ihr ist Herr Albers!«

Conni, Billi, Anna und Dina sind sprachlos.

Dass Herr Albers tanzt, wundert sie nicht. Der ist noch ziemlich jung. Aber Frau Lindmann? Wo ist der mausgraue Faltenrock, den die Lehrerin sonst so gerne trägt? Und wo die Bluse in Schlammfarbe?

»Ich fass es nicht«, sagt Anna.

»Ich auch nicht«, murmelt Billi.

»Also, ich find's toll«, meint Dina. »Obwohl ich es ihr nicht zugetraut hätte.«

»Ich auch nicht.« Conni schüttelt den Kopf. Sie findet ihre Lehrerin total mutig. Aber vielleicht haben sie sie bisher nur falsch eingeschätzt? Vielleicht ist Frau Lindmann gar nicht so streng und unnachgiebig, wie sie immer wirkt?

»Sie tanzt gar nicht schlecht«, meint Billi.

»Lehrer waren eben auch mal jung«, sagt Dina.

»Auch wenn man es sich kaum vorstellen kann«, fügt Conni grinsend hinzu.

Als das Lied zu Ende ist, klatschen Frau Lindmann und Herr Albers und verlassen den Raum.

Anna steht umständlich auf und lehnt ihre Gehhilfen an die Wand. »Also, wenn die sich traut, trau ich mich auch«, sagt sie entschlossen. »Kommt ihr mit?«

»Wohin?«, fragt Billi.

»Auf die Tanzfläche natürlich!« Anna zieht ihr T-Shirt glatt und reckt das Kinn nach vorn. »Das ist mein Lieblingslied.«

Dem armen Mark schwappt vor Schreck der Cocktail über, den er gerade einem Gast reicht.

»Du willst tanzen?«, fragt er mit schriller Stimme. »Mit einem Gipsbein!?«

»Klar.« Annas Augen blitzen hinter der Brille auf. »Warum nicht?«

Sie schiebt sich an Mark vorbei, der ihr mit offenem Mund nachstarrt, und mischt sich unter die Tanzenden.

Es sieht zuerst ein bisschen merkwürdig aus, weil Anna wegen des Gipses nur auf der Stelle tanzen kann, aber dann findet sie den richtigen Rhythmus und bewegt ihren Oberkörper lässig zu ihrem Lieblingssong.

Conni kichert über Marks fassungsloses Gesicht, dann schnappt sie Billi und Dina kurzerhand links und rechts an ihren T-Shirts und zieht sie mit sich. Bevor die beiden protestieren können, sind sie schon auf der Tanzfläche.

»Schließlich sind wir ein Kleeblatt!«, ruft Conni ihnen durch die laute Musik zu. »Wir müssen zusammenhalten!«

Sie fängt einen kurzen Blick von Phillip auf. Er steht hinter seinem Pult, sein Kopf nickt im Takt der Musik. Er grinst ihr zu, dann schaltet er das Schwarzlicht ein. Die Tanzfläche wird plötzlich von zuckenden Lichtblitzen erhellt. Bis auf die grell-weißen T-Shirts des unzertrennlichen Kleeblatts ist alles dunkel. Nur die aufgemalten Kleeblätter heben sich vom Stoff ab. In dem Schwarzlicht wirken die Tanzbewegungen unnatürlich eckig und abgehackt. Conni ist froh, als Phillip die Blitze wieder ausschaltet und zum normalen, bunten Diskolicht wechselt.

Als sie zum Stehpult guckt, ist Phillip verschwunden. Paul hat seinen Platz eingenommen.

Das nächste Lied ist langsam, und sie will sich gerade umdrehen und die Tanzfläche verlassen, um etwas zu trinken, als Phillip vor ihr steht.

»Hey«, sagt er.

Conni schluckt. Wenn er mich jetzt fragt, ob ich mit ihm tanzen will, fährt es ihr durch den Kopf, fall ich garantiert in Ohnmacht!

»Willst du mit mir tanzen?«, fragt Phillip.

Hilfe! Hektisch sieht Conni sich um. Anna, Billi und Dina scheinen wie vom Erdboden verschluckt zu sein. Das heißt, nein, auf der Tanzfläche drehen sich ein paar Pärchen zur langsamen Musik. Eins davon, zumindest die weibliche Hälfte, trägt eindeutig ein pinkfarbenes Gipsbein.

Conni stockt der Atem. Anna tanzt mit Mark! Und zwar ziemlich eng!

»Willst du?«, bringt Phillip sich in Erinnerung. Er lächelt sein spezielles Phillip-Lächeln.

»A-aber, ich weiß gar nicht, wie das geht«, murmelt Conni.

Sie spürt, dass sie rot wird, aber im Lichtschein der Disko-Ampeln fällt das zum Glück niemandem auf.

»Ist gar nicht schwer. Los, komm!«

Als ob es die selbstverständlichste Sache der Welt wäre, zieht Phillip sie hinter sich her.

Mitten auf der Tanzfläche bleibt er stehen.

Und nun?, denkt Conni. Hilfe!

Möglichst unauffällig wirft sie einen Seitenblick zu Anna und Mark hinüber. Anna hat beide Hände auf Marks Schultern gelegt und die Augen geschlossen. Marks Hände liegen locker um ihre Taille. Sie drehen sich einfach nur ganz langsam im Kreis. Woher können die das?

Bevor Conni eine Antwort auf ihre Frage bekommt, hat Phillip schon seine Hände um ihre Taille gelegt. Einfach so, ganz selbstverständlich.

»Achte einfach nur auf die Musik«, flüstert er ihr ins Ohr und fängt an sich zu bewegen. »Alles andere kommt von ganz allein.«

Etwas zögernd legt Conni ihre Hände auf seine Schultern und versucht, sich seinen Bewegungen anzupassen.

Bestimmt seh ich aus wie das letzte Trampeltier, denkt sie. Dann konzentriert sie sich auf die Musik und merkt plötzlich, dass ihre Bewegungen fließender werden. Sie schafft es sogar, ihre Hände, die sich in Phillips T-Shirt gekrallt haben, etwas zu entspannen.

»Geht doch!« Phillip lacht leise.

Conni nickt, dann zählt sie bis zehn und zwingt sich, wieder normal zu atmen. Sie hatte die ganze Zeit die Luft angehalten, ohne es zu merken.

Es macht Spaß, mit Phillip zu tanzen, stellt sie fest, aber ein bisschen merkwürdig ist es auch. Als das langsame Lied zu

Ende ist und wieder fetzigere Musik aus den Boxen dröhnt, ist sie erleichtert und ein bisschen enttäuscht zugleich.

Phillip scheint noch nicht genug zu haben. Er bewegt sich zu den HipHop-Rhythmen wie das Mitglied einer Boygroup persönlich.

Conni staunt.

»Ich hab Durst!«, ruft sie ihm zu. »Ich geh was trinken!«

Phillip winkt ihr lässig zu. »Bis gleich!«

Es wundert Conni kein bisschen, dass ihre Beine sich wie Wackelpudding anfühlen, als sie die Tanzfläche verlässt und sich in Richtung Cocktailbar schiebt.

»Sieht aus, als hätten wir ein neues Traumpaar«, kichert Janette, als Conni an ihr vorbeigeht. Ariane und Saskia mustern Conni neugierig. Aber die lässt sich nichts anmerken und schlängelt sich bis zu Bar durch.

»Was war das denn gerade?«, wird sie von Billi breit grinsend in Empfang genommen.

Dina macht ein neugieriges Gesicht.

»Keine Ahnung«, sagt Conni ehrlich. »Es hat sich einfach so ergeben.«

Sie bestellt sich eine Cola und nippt daran.

Anna sitzt wieder auf ihrem Stuhl hinter der Bar, den Gips auf den Getränkekisten. Sie strahlt übers ganze Gesicht, als Mark ihr einen Fruchtcocktail reicht und mit ihr anstößt.

Was für eine Party!, denkt Conni. Und der Abend hat noch nicht mal richtig angefangen!

Die Freundinnen tanzen noch ein paarmal – mit und ohne Jungs –, als die Musik plötzlich leiser wird und schließlich ganz verstummt. Es knackt in den Lautsprecherboxen, ein schrilles

Pfeifen ertönt. Conni hält sich schnell die Ohren zu und dreht sich um.

Phillip steht, ein Mikrofon in der Hand, hinter seinem Stehpult und bittet um Aufmerksamkeit.

»Ladies and Gentlemen, wir kommen jetzt zum Höhepunkt des Abends«, verkündet er. »Unserem Karaoke-Wettbewerb!« Lauter Applaus unterbricht ihn. Ein paar Jungs johlen.

Phillip fährt unbeeindruckt fort: »Jeder Teilnehmer bekommt eine Startnummer. Gesungen wird in der Reihenfolge der Anmeldungen. Danach stimmt das Publikum ab, welcher Beitrag der beste war. Dazu schreibt ihr einfach die Startnummer eures Favoriten auf eure Eintrittskarte und gebt sie an der Bar ab. Sobald die Stimmen ausgezählt sind, verkünden wir den Sieger.«

»Und was gibt's zu gewinnen?«, ruft jemand aus dem Publikum.

»Der erste Preis ist ein Pokal!«

Phillip hält einen kleinen silbernen Becher hoch, den der Musiklehrer gestiftet hat. Herr Sonnenberg hat ein Musical komponiert und ist ständig auf der Suche nach unerkannten Gesangs- und Showtalenten.

»Der Name des Gewinners wird später eingraviert. Die zweiten und dritten Sieger bekommen Trostpreise, für alle Teilnehmer gibt es Getränkegutscheine für unsere Cocktailbar. Noch Fragen?« Niemand meldet sich. Phillip grinst zufrieden.

»Ich nehme ab sofort eure Anmeldungen entgegen. In einer halben Stunde geht's los!«

Er legt das Mikro weg und schiebt den Regler der Anlage hoch. Die Musik setzt wieder ein, die Tanzfläche füllt sich.

Ein paar Mutige drängen sich nach vorn, um sich für den Karaoke-Wettbewerb anzumelden.

»Ohne mich!« Billi schüttelt den Kopf. »Ich trau mich nicht!«

»Ich auch nicht«, sagt Conni. »Ich könnte niemals vor Publikum singen!«

Sie schiebt sich mit Billi zur Bar, wo Dina und Anna warten.

»Na, macht ihr mit?«, fragt Dina.

»Nein«, sagen Conni und Billi gleichzeitig.

»Dann sind wir uns ja mal wieder einig.« Anna grinst. »Aber spannend wird's trotzdem.«

Eine halbe Stunde später fängt der Wettbewerb an. Die Teilnehmer haben ihre Lieblingstitel ausgewählt und sich auf ihren Auftritt vorbereitet.

»Wo ist Mark?«, fragt Anna plötzlich. Der Platz hinter dem Tresen ist leer. »Es geht doch gleich los!«

Conni zuckt mit den Schultern. »Keine Ahnung. Phillip und Paul sind auch weg.«

Sie stellt sich auf die Zehenspitzen, um besser sehen zu können. Tim steht an Phillips Stelle mit dem Mikrofon am Stehpult.

»Unsere Startnummer eins«, sagt er, »ist eine hoffnungsvolle Boygroup. Ich bin sicher, dass man noch viel von ihr hören wird. Mädels, haltet euch fest: Hier kommen The Fantastic Three!«

Die Fantastischen Drei? Conni zieht die Augenbrauen hoch.

Die Scheinwerfer richten sich auf die Mitte der Tanzfläche.

»Aber das sind ja –«, setzt Billi an, weiter kommt sie nicht. Die Musik fängt an, der erste Auftritt beginnt.

Conni traut ihren Augen nicht. Phillip, Paul und Mark stehen im Scheinwerferlicht auf der Tanzfläche und bewegen sich im Takt.

Paul verpasst seinen Einsatz, aber es fällt kaum auf, weil Phillip und Mark seinen Part tapfer mitsingen.

Sie singen ein lustiges Lied von den Fantastischen Vier.

Obwohl sie nur zu dritt sind, denkt Conni belustigt und schüttelt den Kopf. Diese Jungs!

Sie guckt in Annas Richtung, aber die sitzt ganz starr auf ihrem Stuhl und hat nur Augen für Mark, der gerade eine besonders witzige Stelle singt.

»Die sind gar nicht so schlecht, oder?«, raunt Dina Conni zu.

Billi grinst nur und reckt einen Daumen nach oben.

Als die Fantastic Three ihre Nummer beenden, brandet lauter Beifall auf.

Anna klatscht am lautesten, Billi ruft: »Zugabe! Zugabe!«

Phillip, Paul und Mark verbeugen sich grinsend in alle Richtungen und geben das Mikro an den Nächsten weiter, einen kleinen Fünftklässler mit Stoppelfrisur und Segelohren. Er singt ein schnelles Lied von Michael Jackson und tanzt dazu Breakdance.

Als Phillip, Paul und Mark an die Bar kommen und sich etwas zu trinken nehmen, atmen sie auf.

»Puh«, macht Phillip. »Das hat Spaß gemacht!«

»Ihr wart echt gut«, sagt Conni. »Wo kann man eure CD kaufen?«

Phillip lacht.

»Krieg ich ein Autogramm?«, fragt Billi.

»Klar.« Phillip nimmt einen Filzer und kritzelt seinen Namen auf Billis T-Shirt. Dann reicht er den Stift an Paul und Mark weiter.

Anna rappelt sich von ihrem bequemen Stuhl auf und stellt sich neben Mark. »Das war toll«, sagt sie zu ihm. »Echt stark!«

Mark lächelt sie an. »Willst du auch ein Autogramm?«

Anna nickt glücklich.

Die weiteren Auftritte verfolgen sie nur am Rande. Die Fantastischen Drei sind das Topthema. Erst als Tim einen »sehr speziellen Gastauftritt einer prominenten Persönlichkeit« ankündigt, wenden sie sich wieder der Tanzfläche zu.

»Wer mag das sein?«, fragt Dina.

Conni versucht, einen Blick über die Schultern der vor ihr Stehenden zu werfen, aber sie kann nicht viel sehen. »Wer ist es?«, fragt sie Phillip.

Der grinst breit. »Das glaubst du nie!«

»Sag schon!«

Statt eine Antwort zu geben, fasst Phillip sie kurzerhand um die Taille und hebt sie hoch.

Conni ist viel zu überrascht, um zu protestieren, besonders als sie sieht, wer da im Scheinwerferlicht steht.

»Frau Lindmann!«, kreischen ein paar Fünftklässler. »Cool!«

Phillip setzt Conni vorsichtig ab, eine Hand lässt er wie zufällig auf ihrer Taille liegen.

Conni überlegt, ob sie sie unauffällig abschütteln soll, aber da fängt schon die Musik an, und außerdem fühlt es sich gar nicht so unangenehm an.

Frau Lindmann lächelt und hebt das Mikrofon. Conni kennt das Lied, es ist ein alter Hit von Madonna: »La Isla Bonita«.

Und Frau Lindmanns Stimme klingt einfach toll! Sie ist klar und kräftig und trifft jeden Ton.

»Ist ja irre«, murmelt Phillip.

»Echt stark«, brummt Mark.

Conni und ihre Freunde hören andächtig zu.

Das ist der Höhepunkt des Abends, denkt Conni. Nee, verbessert sie sich schnell, es ist der zweite Höhepunkt. Der erste war eindeutig der Tanz mit Phillip!

»Bravo!«, rufen alle, als Frau Lindmann fertig ist. »Zugabe!« Die Schüler klatschen wie verrückt und stampfen mit den Füßen. Frau Lindmann lacht.

»Ich glaub, ich weiß jetzt schon, wer gewinnt«, meint Paul.

»Gar keine Frage«, stimmt Phillip ihm zu.

Nachdem die Auftritte vorüber sind und alle Stimmen abgegeben wurden, beginnt die Stimmenauszählung.

Sie ist schnell erledigt. Auf den meisten Stimmzetteln steht nur eine einzige Nummer, das Ergebnis ist eindeutig.

»And the winner is …«, verkündet Mark, während aus den Lautsprechern Trommelwirbel kommt, »mit uneinholbarem Vorsprung unser Special Guest, die allseits bekannte und beliebte …«

»Frau Lindmann!«, schallt es im Chor aus dem Publikum.

»Richtig!«, ruft Tim ins Mikro.

Er bittet die Lehrerin zu ihm zu kommen und überreicht ihr unter lautem Gejohle und begeistertem Applaus den Siegerpokal. Frau Lindmann bedankt sich mit einem strahlenden Lächeln.

»Der zweite Platz geht an unsere hoffnungsvolle Boygroup«,

fährt Tim fort. »Die Fantastischen Drei! Ich bin sicher, dass wir noch viel von ihnen hören werden! Und falls ihr noch einen Manager braucht – ich stelle mich gerne zur Verfügung!«

Wieder brandet Applaus auf. Phillip, Paul und Mark stürmen auf die Tanzfläche und umarmen sich lachend, bevor sie ihren Preis entgegennehmen: einen Gutschein vom Eiscafé am Marktplatz für drei Personen.

»Das ist spitze!«, sagt Conni begeistert. »Das haben sie wirklich verdient.« Anna, Billi und Dina stimmen ihr zu.

Billi reibt sich den Bauch. »Was haltet ihr davon, wenn wir irgendwo was essen? Karaoke macht irgendwie hungrig.«

»Ja, gute Idee«, sagt Conni sofort. »Ein belegtes Brötchen wäre nicht schlecht. Und dann muss ich auch noch eine Waffel für Jakob kaufen. Das hab ich ihm versprochen.«

Sie schnappen sich ihre Portmonees und bahnen sich wieder ihren Weg durch den Abstellraum. Im Flur atmen sie erleichtert auf. Anna hängt sich ihre kleine Umhängetasche über die Schulter und sortiert ihre Gehhilfen.

»Lasst uns schnell was zu essen holen«, schlägt sie vor, »und uns ein ruhiges Plätzchen suchen. Vielleicht in der Pausenhalle?«

Am Brötchenstand einer Nachbarklasse kaufen sie sich einen Berg belegte Brötchen und Sandwiches. Im Vorbeigehen kauft Conni noch die Waffel für Jakob. Sie wickelt sie in eine Papierserviette ein und verstaut sie vorübergehend in Annas Umhängetasche.

Die vier haben es sich gerade in einem ruhigen Eckchen der Pausenhalle gemütlich gemacht, als Phillip, Paul und Mark um die Ecke kommen.

»Hey, wir haben euch gesucht«, sagt Mark vorwurfsvoll. »Ihr hättet ruhig was sagen können, anstatt einfach so zu verschwinden.«

»Ihr habt uns doch auch so gefunden«, grinst Anna und beißt in ihr Brötchen.

Phillip setzt sich wie selbstverständlich neben Conni. Er hält eine Colaflasche in der Hand.

»Was für eine tolle Party«, sagt er und pustet sich eine verschwitzte Haarsträhne aus der Stirn. »So etwas sollten wir öfter machen.« Er setzt die Flasche an die Lippen und trinkt einen großen Schluck.

»Können wir doch«, meint Mark. »In ein paar Wochen ist Silvester. Was haltet ihr davon, wenn wir zusammen feiern?«

Conni hält die Luft an. Eine Silvesterparty mit ihren Freundinnen und den Jungs? Ob Mama und Papa das erlauben?

»Ja, genial«, sagt Phillip. »Ich frag meinen Vater. Wir dürfen bestimmt unseren Partykeller benutzen. Und wenn eure Eltern Stress machen«, er zwinkert Conni zu, als hätte er ihre Gedanken gelesen, »laden wir sie einfach mit ein.«

Conni lächelt. Wenn Mama und Papa mit eingeladen sind, haben sie bestimmt nichts dagegen. Und Jakob kann vielleicht so lange zu Hausers.

Zum Glück ist es noch ein bisschen hin bis Silvester, denkt sie. Bis dahin finden wir ganz sicher eine Lösung.

Die Mädchen verputzen ihre Brötchen und geben den Jungs großzügig etwas ab. Phillip spendiert Conni einen Schluck Cola aus seiner Flasche.

»Hey, eure T-Shirts gefallen mir«, sagt er plötzlich. »Krieg ich auch so eins?«

»Ich auch?«, fragt Mark mit Dackelblick.

»Ich auch«, meldet sich Paul zu Wort. »Aber für mich bitte ohne Glitzer.«

Conni, Anna, Billi und Dina gucken sich an.

Conni überlegt einen Moment, dann schüttelt sie den Kopf.

»Tut mir leid, Jungs«, sagt sie grinsend. »Aber dieses Kleeblatt ist nur für uns Mädchen. Und jetzt«, sie springt auf und dreht sich übermütig um die eigene Achse, »lasst uns endlich weitertanzen! Oder ist die Party etwa schon vorbei?«

Alle lachen.

Phillip strahlt sie an.

Und Conni denkt, was für ein toller Abend das doch ist. Und das Beste: Er ist noch lange nicht zu Ende!

**

Leider ist der Abend dann doch irgendwann zu Ende, stellt Conni fest. Pünktlich um Viertel vor zehn steht Annas Mutter vor der Schultür, um die Mädchen abzuholen. Und zu Hause warten Mama und Papa und machen neugierige Gesichter.

»Wie war's denn?«, will Mama wissen.

»Schön«, schwärmt Conni. »Richtig toll!« Sie lässt sich in einen Sessel fallen und erzählt ihren Eltern, wie perfekt alles geklappt hat und dass Frau Lindmann als Madonna-Imitatorin der absolute Star des Abends war. Plötzlich gähnt sie.

»Geh erst mal schlafen«, schlägt Papa vor. »Den Rest kannst du uns morgen beim Frühstück erzählen.«

Conni nickt und gähnt noch einmal.

Als sie wenig später in ihrem Bett liegt, ist sie hellwach und müde zugleich. Ob sie trotzdem noch etwas in ihr Tagebuch schreiben soll? Nicht, dass sie bis morgen etwas Wichtiges vergisst! Sie schiebt Mau, der sich eng an sie gekuschelt hat, ein Stück zur Seite und angelt ihr Tagebuch aus der Nachttischschublade.

Oh, Mann, was für eine tolle Unterstufenfete!
Ich hab mit Phillip getanzt!!
Es war supertoll und ganz anders,
als ich es mir vorgestellt habe.
Irgendwie viel schöner und überhaupt
kein bisschen schwer oder kompliziert.
Ich hab einfach das gemacht, was
Phillip gemacht hat. Er war total
süß! Und total romantisch! ☺
Morgen Vormittag treffen wir uns
alle zum Aufräumen in der Schule.
Dann seh ich ihn wieder.
Ich freu mich schon. Und wie!!! ☺
Anna hat den ganzen Abend mit
Mark getanzt. Die beiden passen
wirklich gut zusammen! Dann haben
wir Mädchen ohne Jungs getanzt,
das hat auch riesig Spaß gemacht.
Schließlich sind wir ein Kleeblatt
und gehören zusammen!

Müde lässt Conni den Stift sinken. Sie klappt das Tagebuch zu und legt es zurück. Über die unvergesslichen Auftritte der Fantastic Three und der Lindmann-Madonna kann sie auch morgen noch etwas schreiben, beschließt sie.

Der Referendar hat den ganzen Abend Fotos gemacht. Vielleicht kann sie ein paar Abzüge von ihm bekommen. Sie knipst die Nachttischlampe aus und streicht Mau über das weiche Fell. Der kleine Kater schnurrt im Schlaf und zuckt mit den Pfoten.

Behaglich kuschelt Conni sich in ihre Decke und blinzelt in die Dunkelheit. Ein einzelner Mondstrahl fällt zwischen den Vorhängen hindurch auf die Kristallkugel, die auf dem Nachttisch liegt. Sie glitzert und funkelt geheimnisvoll. Ob Phillip vielleicht gerade an sie denkt?

»Gute Nacht und träum was Schönes«, flüstert sie Mau zu, dann schläft sie endlich ein.

Anna chattet gern. Aber sie weiß, dass es gefährlich sein kann,
den Namen, die E-Mail-Adresse, Telefonnummer oder sogar die
Adresse mitzuteilen.

Es gibt eine Website zum Thema »Sicheres Chatten« – mit vielen
Informationen und einer Broschüre zum Herunterladen:
www.chatten-ohne-risiko.net

Bei Conni und ihren Freunden ist immer was los.
Es folgt eine Leseprobe aus *Conni, Billi und die Mädchenbande*.

»Mensch, Conni! Wo bleibst du denn?« Anna tritt ungeduldig von einem Fuß auf den anderen. »Beeil dich mal, sonst kommen wir zu spät!«

»Ja, ja«, murrt Conni. Sie schiebt ihr rotes Mountainbike in den Fahrradunterstand und schließt es ab. Als sie sich umdreht, taucht ein blonder Haarschopf zwischen den Fahrradreihen auf.

»Ups ... Hallo, Phillip!« Conni lächelt und schiebt sich eine lose Haarsträhne hinters Ohr. Dass Anna aufstöhnt und einen demonstrativen Blick auf ihre Armbanduhr wirft, ignoriert sie.

»Guten Morgen!« Phillip reibt seine Hände aneinander und haucht hinein. »Ganz schön kalt heute, was? Und das nennt sich Frühling!«

Conni nickt fröhlich, während Anna mit den Augen rollt.

»Ich geh jetzt«, funkelt sie Conni durch ihre schmalen Brillengläser an. »Wenn ihr zu spät kommen wollt – bitte, selber schuld!«

»Hi, Anna. Hast du gut geschlafen?«, erkundigt sich Phillip mit einem strahlenden Lächeln.

Anna wird knallrot und presst ein knappes »Ja, danke« hervor.

Conni kann sich ein Grinsen nicht verkneifen. Mit langen Schritten stapft sie mit Phillip hinter Anna her und betritt das Lessing-Gymnasium. Die warme, stickige Luft, der Lärm und das morgendliche Gedränge in der Pausenhalle rauben ihr fast den Atem. Sie will die breite Treppe hinaufgehen, als Phillip sie am Jackenärmel festhält.

»Lass uns mal kurz auf den Vertretungsplan schauen«, sagt er und nickt mit dem Kopf in Richtung des Sekretariats. »Heute oder morgen ist SV-Versammlung.«

Conni runzelt die Stirn. Phillip ist Klassensprecher der 6a. Dass er zu den Sitzungen der Schülervertreter geht, ist klar. Aber was hat sie damit zu tun?

Phillip bemerkt ihr Zögern.

»Laura war gestern krank«, erklärt er. »Wenn sie bis zur Versammlung nicht wieder da ist, musst du für sie einspringen.«

Conni hält die Luft an. Phillip hat Recht: Als zweite Klassensprecherin müsste sie Laura im Krankheitsfall vertreten.

Meine erste SV-Sitzung, denkt sie. Das ist ja spannend!

»Wir kommen gleich nach!«, ruft sie Anna zu. Aber die hat inzwischen Billi und Dina in dem Getümmel entdeckt und winkt nur flüchtig zurück.

Fast ehrfürchtig folgt Conni Phillip zu dem Schwarzen Brett, um das sich bereits ein paar Schüler drängen, die die Aushänge studieren.

»Da, morgen in der Fünften.« Phillip tippt mit dem Finger auf einen leuchtend gelben Zettel.

»In der fünften Stunde?«, wundert sich Conni. »Aber da haben wir Mathe!«

Phillip dreht sich zu ihr um. Es hat zum Unterricht gegongt.

»Für SV-Sitzungen werden Klassensprecher vom Unterricht freigestellt«, sagt er grinsend.

Conni grinst zurück. »Das ist ja praktisch!«

»Klar«, meint Phillip. »Irgendwelche Vorteile muss es schließlich haben, wenn man Klassensprecher ist.«

Conni spürt ein aufgeregtes Kribbeln in ihrem Bauch. Am liebsten würde sie Phillip mit ganz vielen Fragen löchern. Worum es in der Sitzung gehen wird, zum Beispiel. Oder wie so eine Veranstaltung überhaupt abläuft. Aber als Herr Albers und ein paar andere Lehrer aus dem Lehrerzimmer kommen, beschließt sie ihre Fragen auf später zu verschieben.

»Wir sollten uns beeilen«, sagt sie zu Phillip. »Sonst kommen wir echt noch zu spät!«

Drei Stufen auf einmal nehmend, schaffen sie es, knapp vor ihrem Deutschlehrer in das Klassenzimmer zu schlüpfen. Sie lassen sich auf ihre Plätze fallen, als Herr Albers den Raum betritt.

»Guten Morgen«, sagt der junge Lehrer und hievt seine Aktentasche auf das Pult. »Bitte holt eure Hefte raus. Wir schreiben einen Test über unsere Klassenlektüre.«

Durch die 6a läuft ein einstimmiges Aufstöhnen.

»Muss das sein?«, murrt Paul.

»Ja«, erwidert Herr Albers nur.

Phillip zwinkert Conni zu. Mit einem kleinen Lächeln wühlt Conni ihren Füller aus dem Federmäppchen und versucht sich auf die Arbeit zu konzentrieren.

Als es endlich zur Pause gongt und Herr Albers die Hefte einsammelt, atmet Conni erleichtert auf. Sie holt ihr Schulbrot und ein Päckchen O-Saft aus ihrem Rucksack und geht mit Anna, Billi und Dina nach draußen, um frische Luft zu schnappen.

»Hach, muss Liebe schön sein!« Billi beißt in ihr belegtes Brötchen und grinst von einem Ohr zum anderen. Annas Kopf schießt herum.

»Wen meinst du?«, fragt sie.

»Och«, meint Billi vielsagend, »da würden mir schon ein paar nette Kandidaten einfallen …« Sie deutet auf Phillip, Mark, Paul und Tim, die ein paar Schritte vor ihnen hergehen. Mark dreht sich auffällig oft zu Anna um und stolpert dabei über seine eigenen Füße.

Billi, Dina, Anna und Conni kichern.

»Hey, zisch ab!« Ein dunkelhaariges Mädchen drängelt sich von hinten heran und rempelt Billi an. Billi zuckt erschrocken zusammen. Das Mädchen macht eine abfällige Geste und wirft ihr im Vorbeigehen einen finsteren Blick zu.

»Was fällt der denn ein?«, fragt Conni empört. »Wer war das überhaupt?«

»Tanja«, murmelt Billi. »Aus der Parallelklasse.«

Mit gerunzelter Stirn sieht Conni dem Mädchen hinterher, das sich laut lachend einer Gruppe von Mitschülerinnen anschließt.

»Entschuldigen kann die sich wohl nicht?« Anna schüttelt den Kopf. »Oder war das etwa Absicht?«

»Ach, lass sie doch«, wehrt Billi ab.

»Tanja ist immer so«, mischt sich Dina ein. »Ich kenne sie aus der Grundschule. Leider«, fügt sie seufzend hinzu.

Conni zieht die Augenbrauen hoch. Gemeinsam mit ihren

Freundinnen schlüpft sie durch die weit geöffnete Tür auf den Schulhof und blinzelt in die Sonne.

»Sie kann mich nicht leiden«, sagt Billi und zeigt auf Tanja, die sich inmitten einer Mädchengruppe prächtig zu amüsieren scheint. Immer wieder wirft sie den Kopf in den Nacken, schüttelt ihre glatten schwarzen Haare und lacht.

»Woher willst du wissen, dass sie dich nicht mag?«, fragt Conni und steckt einen Trinkhalm in ihren Saft.

Billi hebt die Schultern. »Sie wohnt bei uns um die Ecke und sagt es mir jedes Mal, wenn sie mich sieht.«

»Blöde Kuh!«, bringt Anna es auf den Punkt.

Billi lächelt ihr dankbar zu.

Die Freundinnen schlendern über den Schulhof und suchen sich ein ruhiges Plätzchen. Conni hockt sich auf die Lehne einer Bank. Die Sitzfläche ist noch zu feucht.

»Ist die immer so zickig?«, erkundigt sie sich bei Billi.

»Ja, meistens«, nickt Billi. »Besonders wenn sie ihren Fanklub bei sich hat. Sie nennen sich ›Die Schulhof-Zicken‹.« Mit dem Kinn deutet sie auf die Mädchengruppe. Schon wieder wirft Tanja ihre langen Haare über die Schulter nach hinten und kichert schrill. Die anderen Mädchen scheinen regelrecht an ihren Lippen zu kleben und schauen bewundernd zu ihr auf. Conni kann Janette, Ariane und Saskia aus ihrer Klasse erkennen und ein paar Mädchen aus der Parallelklasse.

»Der Name passt«, findet Anna.

Die anderen stimmen ihr zu.

Als es zur Stunde gongt, versenkt Conni ihre leere Safttüte in einem Papierkorb und wirft das Brotpapier gleich hinterher. Im Vorbeigehen schaut sie noch einmal zu Tanja hinüber. Sie und die anderen Mädchen machen keinerlei Anstalten, dem Klingeln zu folgen. Als hätte die Pause gerade erst angefangen, stehen sie auf dem Schulhof, albern herum und unterhalten sich. Plötzlich guckt Tanja genau in Connis Richtung und mustert sie von oben bis unten. Ohne den Blick abzuwenden, fragt sie Janette etwas. Die rümpft die Nase und flüstert etwas zurück. Die beiden Mädchen lachen verächtlich.

Conni läuft es eiskalt den Rücken herunter. Sie hat das Gefühl, von Tanjas Blick durchbohrt zu werden. So schnell sie kann, läuft sie hinter den anderen her und mischt sich unter den Schülerstrom. Sie ist froh, als sie wieder auf ihrem Platz sitzt und die nächste Stunde anfängt.

Bis zum Schulschluss gelingt es Conni, den Vorfall aus ihren Gedanken zu verdrängen. Auch Billi erwähnt Tanja mit keinem Wort mehr. Conni verabschiedet sich von ihr und den anderen und fährt mit Anna und Paul nach Hause. Sie haben mit ihren Rädern gerade die große Kreuzung erreicht, an der Anna abbiegen muss, als es hinter ihnen klingelt. Conni dreht sich um. Phillip kommt auf seinem silbernen Rennrad angebraust. Er nimmt beide Hände vom Lenker und ruft: »Hey, wartet auf mich!«

Der hat's aber eilig, denkt Conni amüsiert und hält an. Anna rollt langsam weiter.

»Tschüs!«, ruft sie. »Ich muss mich beeilen. Meine Mutter hasst es, mit dem Essen auf mich zu warten.«

»Tschüs, mach's gut!«, ruft Conni zurück.

Phillip ist vollkommen außer Puste, als er sie und Paul erreicht. »Die Hockey-AG ist ausgefallen«, schnauft er.

Paul zieht eine Augenbraue hoch. »Ist doch kein Grund, gleich einen neuen Hochgeschwindigkeitsrekord im Rennradfahren aufzustellen.«

Phillip wischt sich eine widerspenstige Locke aus der Stirn und strahlt Conni an. Auf Paul achtet er gar nicht.

Conni zeigt auf die Ampel. »Grüner wird's nicht«, stellt sie trocken fest und radelt los.

Die beiden Jungs gucken sich verdutzt an. Bevor die Ampel wieder auf Rot springt, schalten sie einen Gang höher und sprinten hinter Conni her.

Phillip rollt wie selbstverständlich mit seinem Rad an Connis Seite. Paul hat das Nachsehen und muss auf dem schmalen Radweg hinter den beiden herradeln. Er zieht die Nase hoch und macht ein verdrießliches Gesicht.

»Kommst du heute Nachmittag zum Fußball?«, ruft er Phillips Rücken zu.

»Weiß ich noch nicht«, ruft Phillip zurück, ohne sich umzudrehen.

Conni guckt geradeaus. Ein kleines Lächeln spielt um ihre Mundwinkel. Als vor ihnen ein Bus um die Ecke biegt, sieht sie Billis Gesicht hinter einer der Scheiben aufblitzen. Sie winkt, aber Billi scheint sie nicht zu sehen. Schade.

Während Conni, Paul und Phillip durch den Stadtpark radeln, presst Billi ihre Stirn an die Scheibe des Busses und starrt angespannt hinaus. Drei Reihen hinter ihr sitzt Tanja mit ihren ständigen Begleiterinnen Eileen, Constanze und Irina aus der 6c. Ariane ist auch dabei.

Billi zuckt zusammen, als Tanja einen Witz erzählt und laut

zu lachen anfängt. Sie ist sich nicht sicher, ob die Mädchen sie schon gesehen haben, und rutscht vorsichtshalber ein bisschen tiefer in ihrem Sitz. Sie hat Angst, dass Tanja sie nicht in Ruhe lassen wird, wenn sie sie erst mal entdeckt hat. Die Mitschülerin wohnt seit kurzem in Billis Gegend, und Billi ist ihr bisher nur ein paarmal begegnet, auf dem Spielplatz, beim Einkaufen und im Park. Sie kann sich nicht erklären, was das ältere Mädchen gegen sie hat, schließlich haben sie bisher kaum mehr als ein paar Worte miteinander gewechselt. Trotzdem fängt Tanja jedes Mal an hämisch zu grinsen, wenn sie Billi sieht, und zischt ihr bei jeder sich bietenden Gelegenheit irgendwelche Gemeinheiten ins Ohr. Billi hört schon gar nicht mehr hin. Sie mag Tanja nicht und geht ihr am liebsten aus dem Weg.

Als der Bus an ihrer Haltestelle hält, überlegt Billi, ob sie eine Station weiter fahren soll. Nicht nur sie, auch Tanja muss hier aussteigen. Aber dann springt sie kurz entschlossen auf und klettert aus dem Bus. Sie denkt gar nicht daran, wegen der blöden Kuh zu spät zum Mittagessen zu kommen. Kommt ja gar nicht in die Tüte!

»Hey!«, ruft im selben Moment eine laute Stimme hinter ihrem Rücken. »Wohin so schnell?«

Billis Nackenhaare stellen sich auf. Sie spürt, dass ihr Gesicht heiß wird. Nicht umdrehen, denkt sie. Einfach weitergehen. Sie macht ein paar zögernde Schritte und wundert sich, dass Tanja nicht noch einmal ruft, als plötzlich jemand schreit: »Aua, du tust mir weh! Lass mich los!«

Freundinnen halten zusammen

Dagmar Hoßfeld
Conni & Co, Band 5: Conni, Billi und die Mädchenbande
176 Seiten
Gebunden
ISBN 978-3-551-55405-5

Conni muss Billi helfen: Tanja aus der Parallelklasse benimmt sich einfach unmöglich. Sie tyrannisiert ihre Mitschüler – und plötzlich scheint es, als habe sie es besonders auf Billi abgesehen.
Was kann Conni tun? Zum Glück gibt es ja noch Anna und Dina. Die Freundinnen können sich aufeinander verlassen. Und Phillip ist auch noch da. Der taucht offenbar immer dann auf, wenn Conni ihn am nötigsten braucht!

Conni & Co auf einen Blick!

Conni & Co
Band 1
ISBN
978-3-551-55401-7

Conni und der Neue
Band 2
ISBN
978-3-551-55402-4

Conni und die Austauschschülerin
Band 3
ISBN
978-3-551-55403-1

Conni, Anna und das wilde Schulfest
Band 4
ISBN
978-3-551-55404-8

Conni, Billi und die Mädchenbande
Band 5
ISBN
978-3-551-55405-5

Conni, Mandy und das große Wiedersehen
Band 6
ISBN
978-3-551-55406-2

Conni, Phillip und das Supermädchen
Band 7
ISBN
978-3-551-55407-9

Conni, Paul und die Sache mit der Freundschaft
Band 8
ISBN
978-3-551-55408-6

Conni, Phillip und ein Kuss im Schnee
Band 9
ISBN
978-3-551-55409-3

Conni, Dina und das Liebesquiz
Band 10
ISBN
978-3-551-55410-9

Conni, das Kleeblatt und die Pferde am Meer
Band 11
ISBN
978-3-551-55711-7

Conni, Dina und der Babysitterclub
Band 12
ISBN
978-3-551-55712-4

www.carlsen.de

Das Buch zum großen Conni & Co Kinofilm!

Dagmar Hoßfeld
Conni & Co - Das Buch zum Film (mit Filmfotos)
240 Seiten
Gebunden
ISBN 978 3 551 55933 3

Aller Anfang ist schwer! Auf Connis neuer Schule gibt ein Zickentrio den Ton an. Ihr bester Freund Paul muss sich zwischen Conni und seinen coolen neuen Freunden entscheiden. Doch am schlimmsten ist der Schuldirektor. Er faselt immer nur von einer Luxus-Villa mit gelbem Liegestuhl. Um diesen Traum zu erreichen, will er das ganz große Geld machen – ausgerechnet mit Connis Hund Frodo. Der soll das Testimonial der Futtermarke CHIEF werden. Conni muss rasch Freunde finden und Frodo retten.

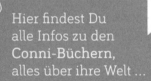